Henry de Montherlant

de l'Académie française

Les jeunes filles

> Tout le temps qui n'est
> pas consacré à l'amour est
> perdu.
>
> *L'Arétin*

Gallimard

AVERTISSEMENT

L'auteur fait observer ici qu'il a peint en Costals
*un personnage que, de propos délibéré, il a voulu
inquiétant, voire par moments odieux. Et que les propos
et les actes de ce personnage ne sauraient être, sans
injustice, prêtés à celui qui l'a conçu.*

L'auteur a fait du personnage central de la Rose de
Sable, *le lieutenant Auligny, un homme doué des plus
hautes qualités morales : patriotisme, charité, horreur
de la violence, passion de la justice et souffrance devant
l'injustice (souffrance au point d'en être malade),
sensibilité et scrupules presque excessifs, sens de la
solidarité humaine, souci, allant jusqu'à la manie, de
se gêner pour les autres et d'essayer de ne pas leur faire
de tort, etc.*

*Ce personnage, aussi central que celui de Costals
l'est ici, occupe la majeure partie d'une œuvre de près
de six cents pages, et maint détail lui donne cette apparence « autobiographique » que certains veulent trouver
à Costals.*

On peut se demander si la critique et le public, lisant

5

la Rose de Sable, *prêteraient à l'auteur la même abondance de vertus qu'ils lui ont prêté d'abondance de vices
après lecture des* Jeunes Filles.

H. M.
1936.

Ce volume est le PREMIER
d'une série intitulée LES JEUNES FILLES

*Cette série doit être lue
dans l'ordre suivant :*

I. LES JEUNES FILLES.
II. PITIÉ POUR LES FEMMES.
III. LE DÉMON DU BIEN.
IV. LES LÉPREUSES.

L'auteur avait donné le nom de Pierre Costa à son principal
personnage; c'est ce nom qui a paru dans les premières éditions.
Un Monsieur Pierre Costa en a pris ombrage, estimant qu'une
confusion pouvait être créée.

Bien qu'aucune confusion ne puisse être faite, à raison de
la personnalité même de M. Pierre Costa qui ne ressemble en
rien à celle du héros des *Jeunes Filles*, l'auteur a tenu à changer
l'état civil de son personnage.

MADEMOISELLE THÉRÈSE PANTEVIN
à la Vallée Maurienne,
par Avranches (Manche)

à

M. PIERRE COSTALS
avenue Henri-Martin,
Paris.

26 septembre 1926.

N.-S. † J.-C.

Je vous remercie, Monsieur et cher Bien-Aimé, de
n'avoir jamais répondu à mes lettres. Elles n'étaient
pas dignes de moi. Trois lettres en trois ans, et pas
une réponse! Mais maintenant l'heure est venue que
je vous dise mon secret.

Dès ma première rencontre avec vos livres, je vous
ai aimé. Quand je vis votre photographie dans un
journal, ma passion s'éveilla. Pendant trois mois,
du 11 novembre 1923 au 2 février 1924, je vous ai
écrit tous les jours. Mais je n'envoyais pas les lettres.
Je n'en envoyai qu'une seule. Vous ne répondîtes
pas. Cependant, en contemplant votre photographie,
votre regard et toute votre physionomie me révé-
lèrent mon heureux destin : vous ne m'aimiez pas,
non, mais vous m'aviez fait une place dans vos
pensées.

Par ma lettre du 15 août 1924 — fête de la Très
Sainte Vierge — je me rappelai à votre souvenir. Et,
peu de jours plus tard, certain reflet entrevu sur
votre visage, dans la même photographie, témoigna
que ma lettre vous avait atteint.

Une troisième fois, le 11 avril dernier, je vous ai écrit. Mais si grande était ma crainte de vous déplaire par trop de hardiesse, que les termes dans lesquels je vous écrivis ne vous permirent sans doute pas d'être fixé sur mes sentiments. Je n'osais vous parler de mon amour, et j'en mourais.

Je vous fis donc une grande lettre d'aveux, de six pages, commencée le dernier samedi du mois du Rosaire et terminée la veille de l'Immaculée Conception. Mais, elle non plus, je ne l'envoyai pas.

Je pense à vous, je souffre, il faut tout vous dire: je vous aime. Je ne vous veux nul mal.

Que j'ai souffert! Quand vous me connaîtrez, vous comprendrez. Je ne suis pas la femme qui se suffit à elle-même. Loin de vous, je n'ai rien été, ni rien pu. J'ai gémi, j'ai prié, j'ai médité, mais cette vie intérieure fut toute ma vie. Pourquoi aurais-je tiré quelque chose de moi, tant que ce ne pouvait être dédié à l'homme pour qui je fus faite? Car Dieu a créé l'homme pour Sa gloire, et la femme pour la gloire de l'homme. Oh! combien vous pourriez pour moi! Faites-moi vivre, mon ami, moi qui jusqu'à vous n'aurai pas vécu. Je n'ai besoin que d'être aimée, et je me sens capable de tant d'amour.

Je vous aime et je sais qu'en vous le disant j'accomplis la volonté de Dieu. Mon ami, n'avez-vous jamais rêvé à ce que sera notre amour dans l'Éternité?

Bientôt octobre... Dans les champs ce sont les dernières fleurs. J'ai voulu qu'elles ne meurent pas inutilement. En me signant je les ai cueillies. J'en ai mis de votre part et de la mienne quatre brins sur la tombe de deux chatons jumeaux morts depuis deux ans. Je vous en envoie trois brins, et j'en garde trois autres que je dépose au pied de ma statuette du Sacré-Cœur.

Cette fois je vous *demande* de me répondre, afin que je puisse donner libre cours à ma tendresse et si votre cœur répond au mien m'habituer à mon bonheur.

8

Mon ami, le Royaume de Dieu à reconstituer, voilà notre tâche. Si vous voulez de ce royaume, et de celui de mon cœur, faites-le-moi comprendre.

Je baise votre plume, et je signe

Marie Paradis

car « Thérèse Pantevin » n'existe plus.

(Ne mettez pas votre nom sur votre enveloppe.)

(Cette lettre est restée sans réponse.)

MADEMOISELLE ANDRÉE HACQUEBAUT
Saint-Léonard
(Loiret)

à

PIERRE COSTALS
Paris.

3 *octobre 1926.*

Cher grand Costals,

L'été, j'étais presque toujours dehors, et la maison avait cessé d'avoir pour moi de l'importance. Avec les premiers froids, on l'installe, comme une arche pour voguer sur le déluge de l'hiver, et c'est maintenant surtout, bien plus qu'au printemps lorsque ma mère mourut, que je réalise ce que c'est que vivre à Saint-Léonard (Loiret) avec un vieil oncle sourd et stupide, quand on est fille, pauvre, orpheline sans frère ni sœur, et qu'on va sur ses trente ans.

Et pourtant, cette mélancolie est comme dévorée par l'anniversaire qu'est la rentrée d'octobre. Voici quatre ans, jour pour jour, que je lus pour la première fois un livre de vous. Votre puissance sur les êtres! Hier soir, j'ai pleuré — de vraies larmes — en relisant *Fragilité*. (Vous ai-je dit que je lui ai fait faire une adorable reliure en maroquin vert? La seule chose belle dans l'océan de laideur et de médiocrité où je vis. Cent cinquante francs. La moitié de mon argent de poche pour un mois...) Il y a des jours où je ne peux pas ouvrir un journal sans y trouver votre nom, causer sans vous nommer (je prononce votre nom plus souvent qu'une femme celui de son amant),

penser sans sentir votre pensée emmêlée à la mienne :
vous êtes moins un homme qu'un élément dans lequel
ma vie baigne, comme on baigne dans de l'air ou
de l'eau. Personne ne vous « sent » comme je le fais.
Non, personne, je ne veux pas! Je ne suis pas jalouse
des gens que vous aimez — même des « belles
madames », — mais de ceux qui vous aiment. Que
j'aie au moins cette place unique auprès de vous,
d'avoir aimé votre œuvre plus que personne. Je la
sais presque par cœur, si bien que très souvent des
phrases de vous viennent dans ma bouche ou sous
ma plume, exprimant ma pensée mieux que je ne
l'aurais fait moi-même : vous parlez, et c'est moi
que j'entends. Cela tient sans doute à votre talent,
qui m'a subjuguée dès le premier jour, mais aussi à
cette sorte de parenté constatée entre soi et certains
êtres de qui vous séparent en apparence des abîmes.
Cette fraternité mystérieuse, au long de ma vie si
peu gaie, à certaines heures si bouleversée, m'a exaltée
et soutenue. Que j'ai grandi à vous lire! Vous avez
retourné des âmes comme on retourne la terre, leur
découvrant à elles-mêmes leurs joyaux. Depuis quatre
ans, votre œuvre a été mon porte-parole, à moi qui
n'ai pas de talent littéraire, comme votre bonheur
était ma revanche, à moi qui ne suis pas heureuse.
Ayant la même avidité que vous de tout réaliser, et
ne connaissant que les renoncements et les nostal-
gies, dans une vie abominable, absurdement para-
doxale, puisque j'ai acquis une culture qui reste sans
emploi, ligotée que je suis par le manque d'argent
et par la solitude, je vous avais en quelque sorte
délégué toute cette ardeur, tout cet appétit de vivre.
Bien loin de vous jalouser, comme font tant d'autres,
j'avais un peu, si j'ose dire, le sentiment de ces
parents qui ont raté leur existence et qui voient leurs
enfants réussir (vous voici donc mon fils, avec vos
trente-trois ans!). Murée, j'aimais que quelqu'un
triomphât des barrières et des entraves. Cela me

vengeait. Si à un moment vous aviez cessé d'être vous-même, ou cessé d'être heureux, vous auriez été comme un mandataire infidèle, vous m'auriez trahie. Moi et beaucoup d'autres, car je sais que nous étions beaucoup à sentir comme moi.

Je suis fière que vous écriviez ce que vous écrivez. Je suis fière que vous existiez tel que vous existez. Qu'un homme de votre espèce ait un succès de public (ce qui est prodigieux), cela me réconcilie avec le monde : c'est donc que tout n'est pas perdu. Je ne saurais supporter qu'on ne vous aime pas, et il y a déjà trois ans que je disais à ma meilleure amie : « Si vous n'aviez pas aimé Costals (en tant qu'écrivain), je n'aurais pas donné cher de mon amitié pour vous. » Je tremble toujours que vous ne fassiez quelque chose qui ne soit pas tout à fait « ça ». Si je vois, dans un journal, un article de vous, j'ai toujours, au moment de le lire, le petit frisson qu'avait ma mère, paraît-il, quand j'étais gosse, et qu'une voisine la prévenait : « Dédée joue au bord de l'étang. » Mais ce que vous écrivez est toujours ce que j'attendais, de même que, lorsque je vous ai connu, vous étiez ce que j'avais imaginé. Mon Dieu! que ce miracle ne cesse jamais! C'est un beau sentiment, vous savez, cette confiance chargée d'espoir qu'on met dans un homme libre.

Quand je vous ai connu! Comment oublier votre gentillesse, votre loyauté, votre bonne grâce! Ce Costals inaccessible! Un frère très grand et très illustre, mais un frère malgré tout. Le camarade idéal, avec qui l'on est de plain-pied, tout en devant lever un peu la tête. Je craignais presque que vous ne me fissiez l'accueil qu'un écrivain qui a votre réputation... conquérante pouvait faire à une jeune fille qui l'admire et qui lui rend visite, et quoi que ce fût qui eût senti le désir physique de vous à moi, ou de moi à vous, m'eût humiliée. Aujourd'hui encore, je vous donnerais ma vie, mais je ne me vois pas vous donnant un baiser. Bien que la religion n'ait plus aucune prise sur moi, il m'est resté quelque chose de mon enfance très pieuse et très scrupuleuse (ne lisant jamais un livre en cachette, et n'en ayant jamais envie). Votre réserve a été pour moi une exquise découverte : « réserve » égale « puissance », aussi bien chez l'homme que chez la femme. Et puis, elle m'a montré que je n'étais pas pour vous comme les autres. Et tout ce que vous avez fait pour moi — conseiller mes lectures, me trouver cette situation à Paris, perdue par ma faute — m'a montré que vous étiez bon, ce qu'on n'aurait pu deviner par vos livres. (Bon à vos heures, entendons-nous. Des choses en vous me font un peu mal, vous ne l'ignorez pas. Encore que vous ayez des droits particuliers.)

Dans un mois, j'irai passer quelques jours à Paris, pour une affaire liée à l'héritage de ma mère. Dites-moi que vous y serez à cette époque.

Je vous serre la main, gravement.

A. H.

Pardonnez la longueur de cette lettre. C'est plus fort que moi! Mais je vous promets de ne pas vous écrire avant quinze jours.

(Cette lettre est restée sans réponse.)

2.501. — Jeune fille, bl., jolie, 28 ans, 20 000 fr. économies, catholique, épous. M. ay. situation.

2.529. — Jeune fille, 25 ans, acajou, mince, très jolie, jolies jambes, sans fortune, dactylo ville province, épouserait M. ayant situation stable. Cherche avant tout tendresse.

2.530. — Demoiselle, 40 ans, aristocratie, f. unique, légèrement intellectuelle, viv. château, 200 000 fr. dot, épous. M. cathol. très distingué, même sans fortune, préfér. noblesse.

2.550. — J. fille 21 ans, fille d'officier de marine, orphel., très gentille, châtain clair, yeux marron, petite, mince, bien faite, habitant Finistère, sans espoir de fortune.

2.554. — Veuve 49 ans, enjouée, très affectueuse, grande sensibilité, sentimentale, vie intérieure très riche, disting., excell. santé, femme idéale d'intérieur, supérieure en tous points, avoir 25 000 rentes, propriété, désirer. corresp. vue mariage avec Monsieur d'absolue bonne foi, situation financière analogue, pour assurer quiétude, sécurité, dans confiance réciproque et tendresse mutuelle. Sérieux. Adr. exacte.

2.563. — Jeune fille artiste, qualités personnelles, cœur et cran, indépendante, libre et seule, désire mariage avec garçon sympathique.

2.565. — Marquise, très grande, yeux bleu vert

changeants, cheveux blond naturel, bien faite, jolie femme, très élég., ligne femme du monde, très disting., bijoux, épous. M. bel homme, genre américain.

2.574. — Jeune fille honnête, saine, viv. campagne chez sa mère, désire mariage.

2.576 *bis*. — Employée châtain, vingt-neuf ans, douce, docile, soigneuse, 600 fr. par mois, légère tuberculose guérissable, épouserait Monsieur moins 45 ans voulant vraiment la rendre heureuse. Fortune indifférente. Quitterait province.

Extrait de Le plus beau jour,
revue mensuelle de mariages.
Octobre 1926.

1899. — Célibataire, trentaine, beau physique, 1 m. 75, instruit, tous avantages, épous. jeune fille disposant de dot importante.

1907. — Employé bureau, 23 ans, taille moyenne, sportif, épous. femme lui donnant situation indépendante.

1910. — Vétérinaire, 24 ans, aisé, bien, grand, beaux yeux, type Ramon Novarro, recherche pour mariage compagne sentimentale ayant au moins 600 000 dot.

1929. — Veuf, 63 ans, élégant, sain, belge, profession libérale, décoré Ordre de Léopold, rentes 4 000, épouserait dame ou demoiselle beau physique, un peu forte, aimante, pas dépensière, revenus minimum 20 000. A souffert.

1930. — Instituteur Mayenne, 28 ans, avancement prochain, épouserait collègue libre penseuse avec avoir sérieux.

1931. — Jeune homme, 1 m. 80, très chic, très bon danseur, sportif, recordman, rencontrerait jeune fille blonde, indépendante, en vue mariage. Promenades auto.

1940. — Monsieur diplômé, cinquantaine, bon, délicat et désintéressé, rêvant tendresse, recherche en vue mariage jeune personne préfér. moins vingt-trois ans, bien, distinguée, bien éduquée, instruite, tendre, dévouée, conduite irréprochable, très jolie, bonne ménagère, paraissant simple, mais vraiment séduisante, avec dot minimum 500 000 et espér. si possible.

1945. — Adjudant colonial, sans tare aucune sorte; svelte, cheveux frisés, blond, yeux bleus, nez busqué, visage ovale, sentimental, violoniste, bled Tunisie, épouserait jeune fille 17-20 ans avec dot aimant soleil radieux et azur éternel des pays mirage et sable infini.

1947. — Mécanicien, célibataire, 28 ans, recherche en vue mariage correspondante qui pourrait l'aider à prendre un commerce.

1950. — Capitaine 33 ans, haute école, bientôt commandant, officier Légion Honneur, beau physique, châtain, distingué, élégant, sobre, caractère enjoué bien qu'ayant souffert, très franc, désire faire bonheur jeune personne même ayant enfant, grande, plaisante, sentimentale et idéale, parfaite éducation, catholique, pour fonder foyer heureux et durable basé sur profonde affection et hautes qualités morales. Situation fortune aucune importance.

1958. — Jeune homme, 21 ans, beau garçon, situation modeste, cherche âme sœur fortunée.

1962. — Vicomte, fils unique, 27 ans, filiation noblesse sur actes authentiques jusqu'au XVe siècle, ne possédant pour le moment aucune fortune personnelle mais grosses espérances directes et prochaines, parfait sous tous rapports, épous. personne avec très grosse fortune, religion et âge indifférents, dont parents auraient occupation pour gendre.

1967. — Cantonnier auxiliaire, 29 ans, sans fortune, banlieue Paris, espère trouver jeune femme pour mariage.

Le plus beau jour, *octobre 1926*.

Un homme qui lit une feuille d'annonces matrimoniales peut délivrer, tour à tour, plusieurs des hommes qu'il y a en lui : l'homme qui rit, l'homme qui convoite, l'homme qui réfléchit ; dans cet « homme qui réfléchit » il y a aussi un homme qui pleure.

L'homme qui rit. Ah! il rira tout son saoul. La bonne opinion que ces pauvres êtres, pour la plupart, ont d'eux-mêmes. Le grand prix attaché aux cheveux blonds et au catholicisme. La taille réglementaire des messieurs. Les « espérances » qu'ont ces demoiselles, mais espérances de quelle sorte? On marche sur le burlesque comme sur un tapis.

A la seconde page du journal, « la Direction se met à la disposition de ses lecteurs pour leur donner toute formule nécessaire à la réussite de leurs projets, au besoin à *(sic)* écrire directement aux abonnés dans le sens qui lui serait indiqué, à raison de 2 fr. 50 par lettre ».

A la dernière page, le placard de publicité d'une « dame détective et ses limiers, filatures, etc. » Parfait. En se mettant en ménage, il faut penser à tout. (Mais la dame détective ne serait-elle pas la directrice même du journal, Pénélope toute prête à détruire ce qu'elle a tissé?) Un bon point aussi pour la publicité des « Prêts rapides » : on sait ce que coûte une femme.

Quand l'homme qui rit a bien ri, méprisé, etc.,

et jusqu'à se dire, s'il est un peu âcre : « Vivement une bonne guéguerre, qui fasse place nette de toute cette chienlit » (il est vrai, ajoute cet homme flétrissable, il est vrai qu'une des horreurs de la guerre, sur laquelle on n'attire pas assez l'attention, c'est que les femmes y soient épargnées), quand l'homme qui rit a bien ri, il tourne le bouton et apparaît l'homme qui convoite.

L'homme qui ne peut pas lire : « Jeune fille, 22 ans », sans avoir un frémissement.

Derrière chacune de ces annonces, un visage, un corps, un je ne sais quoi qui, après tout, est peut-être bien un cœur. Derrière ces six pages imprimées, cent cinquante femmes vivantes, vivantes dans ce moment-ci, dont chacune demande un homme — et pourquoi pas moi? — dont chacune, puisqu'elle est là, est prête pour l'aventure, légale ou illégale, la légale étant mille fois pire que l'autre, est arrivée à ce point de dénuement où elle est offerte au premier venu. Les hommes, eux, demandent des « grosses fortunes ». Nous avons lu ceci : « Monsieur désire connaître en vue mariage jeune et jolie personne ayant grosse fortune. » Un point, c'est tout. Vous, jeune, jolie et grosse fortune. Moi... eh bien, moi, « un monsieur » : vous n'êtes pas contente? La plupart d'entre elles, malgré tout, précisent : un « monsieur avec situation », — du pain et un lit. Le lit d'abord. Et quoi de plus naturel, quoi de plus respectable que cette demande? « Sous la couverture, on ne sent plus la misère », nous disait magnifiquement une traînée de Marseille. (On y sent quelquefois une autre misère. Mais là n'est pas la question.) L'homme de convoitise, qui a ces feuilles sous les yeux, les voit vibrer comme vibre la mer, grouiller comme grouillait l'arène romaine, quand on y lâchait les bêtes. Elles sont trop, on est découragé : ainsi l'amateur, devant les deux mille pièces d'un musée. Un troupeau de femmes dans l'arène close. Malfaisantes comme ces bêtes de l'arène, et cependant, comme elles, à demi innocentes et désarmées : toutes victimes, mêmes les pires. On n'a qu'à flécher [1] dans le tas. Les tarés, les brutaux et les mufles, les escrocs et les maîtres chanteurs, tous les archers sont là-haut, choisissant leur proie. Quelles menaces sur le peuple des femmes! Le comble de la candeur et le comble de la vilenie, toutes les déceptions, tous les drames sociaux, et jusqu'au bonheur, mijotent dans cette marmite de sorcière qu'est une revue de mariages. Et le grotesque et le pathétique, comme dans tout ce qui est de la vie, et ceci est la vie même : un concentré de vie.

L'homme qui réfléchit, lui, voit en cette petite feuille matrimoniale, si ridicule sous un certain aspect, un rouage social de première importance.

Nous avons lu, un jour, dans un texte de publicité vantant un hôtel de ville d'eaux, cette formule alléchante : *Relations sélectes*. Et on entend souvent une personne dire à l'autre : « Allez donc chez les Un Tel. Vous vous y ferez des relations. » Là-dessus tout être bien né a un haut-le-corps. Et il met en regard le mot de cette vieille dame noble, qui, sur son lit d'agonie, importunée sans doute par des visites de fâcheux, laissait pour consigne suprême à ses petits-enfants : « Surtout, ne pas se faire de relations. »

Et pourtant, passé ce premier mouvement, on est saisi par tous les maux qu'engendre le défaut de relations. A l'exprimer, cela paraît banal : en fait cela est moins connu, moins « réalisé » qu'il ne semble. On est saisi par le grand nombre de choses heureuses que les gens manquent, simplement parce que, faute de relations, ils n'ont pas su à quelle porte frapper. Et c'est à coup sûr une tragédie, que ces portes qui ne demandaient qu'à s'ouvrir sur des édens, et qui

1. De l'espagnol *flechar*, lancer une flèche.

ne se sont pas ouvertes, parce qu'on est passé à côté.

Les êtres qui attendent toute leur vie l'être qui était fait pour eux — *il existe toujours* — et qui meurent sans l'avoir rencontré, — les hommes qui ne trouvent pas l'emploi de leurs facultés, et s'usent dans des tâches inférieures, — les jeunes filles qui ne se marient pas, et qui eussent fait le bonheur d'un homme et le leur, — les gens dans la misère, et qui s'y enfoncent, alors qu'il y a des œuvres charitables qui semblent créées exprès pour eux; et tout cela parce qu'il ne s'est pas trouvé qu'ils connussent cet être, cet organisme, cette vacance : c'est un problème dont on peut être hanté.

Et il va du grand au petit. Il y a le livre qui, à certaine heure, vous eût tonifié, et qu'on ignorait. Il y a le site qui eût encadré votre amour, le médicament qui vous eût sauvé, la combinaison qui vous eût fait gagner du temps. Tout cela vous attendait, mais personne ne vous l'a indiqué, parce que vous n'aviez pas assez de relations. La terre promise vous entoure : vous ne le savez pas. Ainsi la guêpe qui longuement, pour sortir d'une chambre, bat et bourdonne contre la vitre, tandis que la fenêtre est entrebâillée à quelques centimètres de là. On me jette à l'eau avec les poignets liés, sans m'apprendre le tour de main qui me permettrait de me dégager, et ce tour de main existe.

Ces offres et ces appels qui s'entrecroisent, ce sont comme des oiseaux dont les vols se coupent dans le vaste espace; enfin quelques-uns se rejoignent et ils s'envolent deux par deux. Montaigne nous dit que son père aurait voulu voir, dans chaque ville, « certain lieu désigné, auquel ceux qui auroient besoin de quelque chose se pussent rendre. Tel veut compagnie pour aller à Paris. Tel s'enquiert d'un serviteur de telle qualité. Tel d'un maistre, etc. » Et il cite l'exemple de deux « très excellents personnages », morts dans la misère, qui auraient été secourus si on avait su leur triste état. Certes, le premier qui imagina de faire servir une gazette à ce que des êtres humains trouvent ce qu'ils cherchent, celui-là devrait avoir sa statue. Tout ce qui crée des rencontres mérite encouragement, même quand il s'agit de rencontres à fin sentimentale, et malgré tout ce qu'elles supposent de niaiserie et de médiocrité.

La vieille dame qui recommandait aux siens, avec un orgueil contracté : « Et surtout, ne pas se faire de relations! » préparait à ceux qui l'auraient prise au mot tous les drames de l'insatisfaction — celle de l'âme et celle du corps — et l'atroce regret des possibles qui ne demandaient qu'à venir à l'être, et qui n'y sont pas venus. Le repliement sur soi-même n'est bon qu'aux natures singulières et fortes, et encore, à condition d'être relatif et entrecoupé. Les autres le payent cher. On ne s'enferme pas dans sa chambre impunément. On ne vit pas sur soi seul impunément. On « n'envoie pas coucher » impunément ses semblables. Et cela est bien ainsi, puisque le repliement sur soi-même — quand il n'est pas commandé par de hautes raisons intellectuelles ou spirituelles — n'a le plus souvent pour cause que la paresse, l'égoïsme, l'impuissance, bref, cette « peur de vivre » dont on n'a pas assez dit quelle place elle occupe parmi les maux qui désolent l'humanité.

THÉRÈSE PANTEVIN
La Vallée Maurienne

à

PIERRE COSTALS
Paris.

6 octobre 1926.

N.-S. †J.-C.

Mon Aimé, encore une fois, vous ne m'avez pas
répondu! Dieu ne l'a pas permis; son saint Nom
soit béni.

Persuadée que dans votre silence il ne se passe que
de grandes choses — vous travaillez, sans doute, —
je veux respecter ce silence. Oui, jusqu'à la Toussaint
même. A cette date, je vous enverrai encore un gémis-
sement.

Je baise votre main droite, celle qui écrit.

Marie Paradis.

P.-S. — Ne marquez pas votre nom sur l'enveloppe.

(Cette lettre est restée sans réponse.)

THÉRÈSE PANTEVIN
La Vallée Maurienne

à

PIERRE COSTALS
Paris.

Fête de la Toussaint.

N.-S. †J.-C.

Vite, que j'aie entre mes mains quelque chose qui ait recueilli votre souffle! Si vous saviez ceux qui m'entourent! Si vous saviez quelle chose affreuse c'est, que dépendre entièrement d'une puissance qui ne vous veut pas de bien! Vous seul pouvez ma vie. Donnez-moi la vie, afin que je sois bien sûre de l'avoir éternellement.

Ceci est une adjuration suprême. Vous êtes mon souffle : ne me laissez pas m'éteindre.

Marie.

J'ai été tirée en photo, et je vous l'envoie. Vous voyez, je suis jeune, mais je ne suis pas jolie. Encore, sur la photo, je suis embellie.

(Ne marquez pas votre nom sur l'enveloppe.)

PIERRE COSTALS
Paris

à

THÉRÈSE PANTEVIN
La Vallée Maurienne.

5 novembre 1926.

Mademoiselle,

Je n'ai jamais envisagé un instant de pouvoir répondre quelque jour à un de vos extravagants billets. Hélas, les derniers m'ont touché; maintenant le mal est fait. Vous me dites que votre vie est entre mes mains. Nous connaissons cela. Mais l'hypothèse où vous le croiriez vraiment est de celles qu'il me faut bien subir. Devrais-je alors laisser retomber ces cris? Je n'en ai pas le cœur. Voyons ce que je puis pour vous.

Il n'y a aucune chance que le sentiment que vous croyez me porter ait jamais en moi le moindre écho. Ne vous obstinez pas dans ma direction : ce serait pousser contre une porte fermée; vous vous y épuiseriez. Et d'ailleurs, quand vous m'atteindriez, vous n'auriez rien de moi, car je n'ai rien à donner à personne. Que ceci vous soit dit une fois pour toutes. Ne rêvez pas que j'y faiblisse jamais.

Mais, si cette voie-là vous est bouchée, elle n'est pas la seule. Il y a vraisemblablement en vous une certaine force; ce serait pitié que la tarir dans le premier serin venu, dont vous seriez capable de vous coiffer, faute de choix. La part faite à ce qu'il y a

25

de « ruban rose » dans votre dévotion, qui vient de votre sexe et de votre âge, le reste n'en est peut-être pas mauvais tout entier; il serait curieux que Dieu l'eût pour agréable. Je ne sais ce qu'il est au juste, n'ayant pas une ombre de foi. Mais en lui, ou dans l'idée que vous vous faites de lui, vous serez sûrement mieux qu'à un « foyer ». Foyers d'infection, oui, tous. Si je puis quelque chose pour vous, c'est de vous pousser dans cette recherche, et de vous y suivre de loin avec sympathie, encore que, je vous le répète, je ne croie ni en la divinité de Jésus-Christ, ni en la divinité de qui que ce soit. Mais les hauts états de la non-croyance me sont familiers. Ils seront ma prière pour vous, si vous le voulez. Car tout cela est la même chose. Heureusement.

Ne m'écrivez pas des lettres de huit pages tous les trois jours, comme sans doute vous allez vous y croire autorisée par celle-ci. L'attention que je vous porte va au point que je puisse lire une lettre de vous toutes les trois semaines environ; non pas au point que je puisse vous lire tous les trois jours : je vous le dis franchement, je ne vous lirais pas. Ne cédez à la démangeaison de m'écrire qu'après avoir fait une défense dont vous vous tirerez honneur. N'attendez pas, d'ailleurs, que je vous réponde. Je ne vous répondrai que si je m'en sens pressé, c'est vous dire que mes réponses seront rares.

Là-dessus, je vous prie, Mademoiselle, de croire à mes sentiments dévoués.

Costals.

PIERRE COSTALS
Paris

à

MADEMOISELLE RACHEL GUIGUI,
Carqueiranne
(Var).

6 novembre 1926.

Chère Guiguite,

Je te demande de mettre à la poste, à Carqueiranne — en m'excusant de te l'envoyer enveloppe fermée, — cette lettre adressée à une demoiselle du Loiret, qui me veut du bien (du Loiret) depuis quatre ans. Comme elle n'a rien à faire absolument, qu'à penser à moi, tu devines si elle s'en paye. Laide, rien moins que désirable, mais intelligente, cultivée, méritante : elle est orpheline (son père était un petit avoué de province sans consistance), elle a appris le latin toute seule, etc., enfin le tout très digne d'estime. J'ai pour elle une certaine sympathie, sentant cruellement ce que cela peut être, d'être fille aux approches de la trentaine, et de qualité assez supérieure, cela à Saint-Léonard (Loiret), et sans fortune. C'est pitié de voir une femme de cette valeur condamnée ou à aigrir vierge, ou à épouser un boutiquier du Loiret, ou à prendre un amant (ce qui ne lui serait peut-être pas facile, étant si peu favorisée par la nature) et à rouler. Je l'entretiens dans l'illusion de mon amitié, que je sais qui la soutient. Elle vient dans quelques jours à Paris, et cette fois je ne veux pas la voir. Une femme qui vous aime, et qu'on

27

n'aime ni ne désire, par correspondance, cela va encore. Mais face à face, aïe! Je vais donner à la maison les ordres les plus stricts, de dire que je suis dans le Midi.

Il y a une autre demoiselle, de la Manche celle-là, à qui j'ai enfin répondu ces jours-ci, après trois ou quatre lettres restées sans réponse qu'elle m'écrivit depuis trois ans. Elle m'a envoyé l'autre jour sa photo : c'est une vraie petite paysanne, en sarrau noir d'orpheline; on n'imagine rien de plus disgracieux. Elle est complètement folle (du genre mystique), et serait le néant sans sa folie, qui fait toute sa valeur. C'est par un mot d'une de ses lettres qu'elle a pénétré en moi; c'est ce mot qui m'a ouvert, sinon le cœur, du moins ce lieu profond de l'être où dorment ou feignent de dormir la bienveillance et la pitié : « Si vous saviez quelle chose affreuse c'est, que dépendre entièrement d'une puissance qui ne vous veut pas de bien! » Je pense qu'il s'agit de sa famille. Comme on ne peut guère, dans la dévotion, discerner les limites de la folie et du sublime, j'ai parié sublime et voudrais qu'elle consultât si elle n'est pas faite pour le couvent : tout vaut mieux que cette cour de ferme, avec vachers et vachères pleins de mépris pour une petite inspirée. Toi, chère Guiguite, qui as le génie humain d'Israël, je crois que tu m'aurais approuvé de lui avoir enfin répondu. Je sais que cela est imprudent : une bonne action est toujours une imprudence. Mais je n'aime pas refuser aux êtres ce peu de bonheur qu'ils vous demandent en passant auprès de vous sur la terre.

Rien de particulier à te dire, sinon te remercier du plaisir que si fidèlement tu me donnes depuis tant de mois. Puisque te voici à Carqueiranne (j'espère que le voyage s'est bien passé), tu verras des filets de pêcheurs soutenus à la surface de l'eau par des fragments de liège. Les nuits passées avec toi sont ces fragments de liège qui me soutiennent à la surface de la vie. N'étaient ces nuits, et celles passées avec mes autres petites compagnes, je crois que je coulerais à pic, entre la stupidité de ma famille, l'abjection de mes confrères, et le temps que me font perdre mes amis.

J'espère que le dernier en date de tes usagers est bien de sa personne, et bon type. Reviens-moi dans une belle forme à la fin du mois. Je ne crois pas que je serais ennuyé de te perdre : cela m'amuserait d'avoir un vide à remplir. Mais je serais malgré tout content de te garder.

Chère Guiguite, j'aime le plaisir que j'ai avec toi, j'aime le plaisir que je te donne, enfin tu as dix-huit ans, et tu me plais. Adieu, ma chère, j'ai bien l'honneur.

C.

PIERRE COSTALS
Paris

à

ANDRÉE HACQUEBAUT
Saint-Léonard.

(Lettre datée de Carqueiranne
et jointe à la lettre précédente.)

7 *novembre 1926.*

Chère Mademoiselle,

Quel ennui! Je suis dans ce bled, que je ne quitterai pas de tout le temps que vous serez à Paris. Si j'avais été plus près de Paris, volontiers j'y aurais fait un petit saut pour vous épargner cette déception. Mais d'ici!...

Si vous avez besoin à Paris d'une aide quelconque, d'un mot d'introduction, que sais-je, faites-m'en part tout de suite à Carqueiranne, « aux soins de Mlle Rachel Guigui, 14, rue de la Plage ». Mlle Guigui est une vieille Juive de soixante-dix ans, chez qui j'ai pris pension pour quelques jours. Mal élevé comme je le suis, je vais sans doute finir par tomber dans ses bras, en admettant qu'on puisse s'enflammer pour une personne qui s'appelle Guigui, ce que je ne crois pas.

Tandis que je vous écris, je vois de ma fenêtre, sur la mer d'un bleu dansant de méthylène, les irradiations du zénith se multiplier en facettes miroitantes. Je songe alors à ce que doivent être ces

onze mois par an passés à Saint-Léonard (Loiret)...
Et cette beauté de la mer, qui me paraissait si
innocente, ne me le paraît plus tout à fait.

Cordialement vôtre.

C.

Eh bien, non! je viens de vous mentir. Je ne vois
pas du tout la mer en ce moment, pour cette raison
que je vous écris d'un café de Carqueiranne, d'où
on ne peut la voir. Même cet anodin mensonge, vous
le faire m'eût été pénible. Il est vrai que, contre
toute apparence, il m'arrive de faire des choses qui
me sont pénibles. Rarement, mais quelquefois.

ANDRÉE HACQUEBAUT
Hôtel des Beaux-Arts,
Paris

à

PIERRE COSTALS
Carqueiranne.

11 novembre 1926.

Costals, cher Costals, votre lettre de Carqueiranne a-t-elle été pour moi une déconvenue? Oui et non. Oui, parce que venir à Paris et vous manquer, c'est trop bête. Non, parce qu'une petite lettre comme cela vaut bien quelques instants de votre présence. Votre gentillesse! Et toujours la même depuis quatre années! Ainsi donc, si vous n'aviez été si loin, vous auriez « fait un saut » jusqu'à Paris, rien que pour me voir! Et votre adorable post-scriptum, ce *remords* que je sens en vous, pour m'avoir fait un petit mensonge de rien du tout! Comment ne vous aimerait-on pas, malgré vos sautes d'humeur, vos semaines de silence, vos bourrades, tout ce qu'il y a en vous de joueur et d'un peu inquiétant, cette gaminerie cruelle que soudain sauvent et font absoudre votre bonté et votre délicatesse vraiment *divines?* Je n'ai eu par vous que des joies.

Je suis seule dans cette chambre d'un petit hôtel. Le feu ronfle; en bas Paris s'agite sous la pluie. Votre lettre est devant moi, sur ma table. Elle va m'aider à vivre sans vous ces quelques jours de Paris. Elle va m'aider à vous dire tout ce que j'ai à vous dire. Car ceci est une lettre très grave.

L'été, à Saint-Léonard, je trouve presque acceptables des perspectives de vie qui, l'hiver, me font frémir d'horreur. Pour canoter ensemble, se baigner ensemble, flâner ensemble, il y a, même à Saint-Léonard, de gentils garçons, et qui me suffisent. Tout cela cesse avec les premiers froids, avec la lampe et les livres. Le froid me donne besoin de l'intelligence. Alors Paris m'aspire. Et quelques heures de Paris — hier, Beethoven à la salle Gaveau; ce matin, les Fragonard à la Galerie Charpentier — et je me dis : Non! c'est impossible! Je n'ai pas d'orgueil d'être ce que je suis, mais il faut bien que je le constate. Et ce que je suis se refuse à épouser un médiocre. Toujours cette idée ancrée en moi, que l'amour de la femme ne peut pas être une condescendance, puisque, dans l'acte de chair, c'est elle la vaincue.

Petite provinciale sans fortune et sans relations, je ne puis faire le mariage « sérieux » qui m'apporterait argent et situation, par exemple un mariage à Paris, dans un milieu aisé et cultivé (pour trouver un mari cultivé, il me faudrait vivre à Paris la moitié de l'année, libre, et je n'ai pas de quoi). Le mariage « sérieux » étant impossible, je ne veux faire qu'un mariage qui me permette d'être amoureuse au grand jour. Si je dois rester aussi solitaire, aussi démunie, et de plus enchaînée pour la vie à un homme qui m'ennuiera, que j'aimerai assez cependant pour me refuser à le lui faire sentir, cela avec tous les désavantages que j'ai aujourd'hui, ma liberté en moins, et des soucis innombrables en plus, à quoi bon? Seuls un grand amour et la conscience d'une tâche vraiment féconde me rendraient aisé ce sacrifice de ma liberté.

Il y a par ici deux ou trois garçons qui, je crois, m'épouseraient volontiers. Ils ne me déplaisent pas. Jeunes, gentils, parfaitement bien élevés et honnêtes. L'un d'eux au moins, *en m'y mettant*, je pourrais peut-être parvenir à l'aimer. Hélas dans quel milieu de primaires — le milieu du commerce, et en province — fermé à la poésie, à tout ce qui est profond, ou subtil, ou désintéressé! Un homme marié peut s'abstraire peut-être de son milieu. Mais une femme mariée? Elle ne peut ni s'isoler de son mari, du milieu de son mari, ni même risquer de les choquer. Sentez-vous ce qu'il y a de dramatique à être une femme seulement un tout petit peu supérieure? C'est tout mon drame. Cela se paie, le bonheur de ne pas aimer des médiocres. Et aimer des médiocres se paie par la médiocrité du bonheur qu'on y goûte. Ah! comme j'aurais bien fait l'épouse d'un artiste! Car pour être une femme d'artiste il faut aimer l'artiste encore plus que l'homme, faire que le premier soit grand, et que le second soit heureux. Et puis, être entre soi, se comprendre à demi-mot, quel repos!

J'ai horreur des vieilles filles. J'ai pitié des mal mâriées. L'amour irrégulier me dégoûte. Alors?... Et j'aurai trente ans en avril! Trente ans, âge suprême... La tête me tourne. J'ai une peur terrible de tout rater. O Costals, que faire de ma vie?

Une seule chose me soutient : votre existence. Vous seul me donnez mon équilibre de femme. Fermer un instant les yeux et me dire que *vous êtes*, cela m'apaise. Ah, il faut remercier d'être, d'être seulement, les créatures telles que vous! Le feu est-il diminué de devoir s'allumer à quelque chose? Je vous aime comme une torche à laquelle je m'allume. Et alors il arrive ceci : que vous m'avez rendu fades tous les hommes, pour ma vie entière, et médiocres tous les destins. Je ne peux plus envisager un bonheur normal — j'entends : un mariage quelconque — sans une fuite de tout l'être hors de cette insipidité, parce que jamais je n'aurai le courage de vouer ma vie à un homme que je n'aimerais qu'à peine. Imaginez une mortelle qui aurait aimé Jupiter, ne pourrait plus ensuite aimer aucun homme, et aurait le désir désespéré de pouvoir en aimer un.

Combien j'aurais voulu pouvoir faire quelque chose pour vous, pour votre œuvre! Et je ne puis rien, rien! Si je savais écrire, j'écrirais sur vous des articles, un livre. Je voudrais que vous fussiez pauvre, souffrant, incompris. Je voudrais vous savoir errant à la recherche de votre tâche d'homme, comme moi à la recherche de ma tâche de femme. Votre faiblesse serait mon appui. Mais non, vous vous suffisez, vous êtes comme calé dans votre solitude, et ce qui vous fait haïr des autres, moi, je m'en lamente : que vous soyez si assuré. Aucun espoir que je puisse sentir entre vous et moi ce lien, ce lien unique : votre conviction que vous pouvez vous fier à moi absolument. Mais dites-le, au moins, que jamais vous n'aurez besoin de ce dévouement! Si un jour vous alliez en avoir besoin, et si, ce jour-là, je ne pouvais pas répondre à votre appel, enlisée dans quelque triste devoir, choisi par désespoir de trouver un meilleur emploi de moi-même!

Un jour, en vous écrivant, cette phrase m'est venue sous la plume : « Je vous aime de toute mon âme. » Je n'ai pas osé l'écrire, craignant que vous ne vous mépreniez. Aujourd'hui que vous me connaissez, que vous savez bien que je ne suis pas, que je ne serai jamais amoureuse de vous, je l'écris, en pleine confiance, je l'écris sans réticence aucune : je vous aime de toute mon âme.

Il ne faut pas me répondre, il faut oublier cette lettre ou n'en garder qu'une impression de douceur, si possible. Ne pas me la faire expier, surtout, en changeant d'attitude à mon égard.

A. H.

P.-S. — Je me fais faire une robe vieux rouge, toute veloutée, toute légère, pour cet hiver. Et je me suis acheté un manteau gris, délicat, chic — oh!

chic — dont on dirait qu'il sort de chez un grand couturier (c'est d'ailleurs une copie). J'achèterai aussi une étroite toque de plumes grises, parce que c'est si doux au visage... Vous voyez combien, malgré vous, j'ai l'esprit libre.

Être élégante, jolie peut-être... Et tout cela pour quoi? pour qui? Pour les Saint-Léonardins...

Bonsoir, Monsieur.

PIERRE COSTALS
Paris

à

ANDRÉE HACQUEBAUT
Saint-Léonard.

26 novembre 1926.

Chère Mademoiselle,

Je réponds à votre honorée du 11 et avec les quinze jours de retard réglementaires. Huit jours pendant lesquels je n'ai pas ouvert votre enveloppe : c'est une petite quarantaine que je fais subir à toutes les lettres de femmes, après quoi elles ont chance de n'être plus contagieuses. Et huit jours pendant lesquels, chaque jour, j'ai remis au lendemain de vous répondre, parce que cette réponse m'assommait à écrire. Je vous demande pardon, mais je ne sais plus garder tout mon sérieux quand on me dit qu'on m'aime.

Votre lettre, en effet, ne m'a pas été agréable. Pourquoi quitter ce plan amical sur lequel nous étions si bien, pour entrer dans la vulgarité et dans le casse-tête du « sentiment »? Vous vous installez à présent sur des sommets si sublimes, que je doute de vous y pouvoir suivre. Je vous traitais, si on veut, comme une camarade intelligente, avec naturel. Maintenant il va falloir se monter le col. Je vais maintenant me sentir des devoirs envers vous : devoir de mériter un si haut don de vous-même, devoir de vous traiter avec des ménagements infinis

37

(dont vous trouverez déjà, dans cette lettre, un échantillon), devoir de vous rendre quelque chose qui soit un peu en proportion avec ce que vous me faites l'honneur de m'offrir. Que de devoirs! Et le devoir, hélas, ne m'a jamais réussi. Je crains que vous n'ayez été maladroite et imprudente. Il fallait garder tout cela pour vous, et que je pusse continuer de feindre que je n'avais pas compris.

Autre sujet. Vous m'avez étonné, un jour, en m'avouant votre ignorance de la littérature anglaise. Je viens d'hériter de la bibliothèque d'une vieille demoiselle qui avait pour moi, je suppose, une sorte de sentiment qu'il doit vous être facile de reconstituer par analogie. Voulez-vous que je vous fasse envoyer une petite caisse de littérature anglaise en traductions? Je possède déjà ces livres en anglais. Et il m'est pénible de penser qu'une fille comme vous puisse rester toute sa vie sans avoir pris contact avec le génie de l'Angleterre.

Cordialement vôtre, chère Mademoiselle. Mais tenez-vous la bride courte, je vous en prie.

C.

ANDRÉE HACQUEBAUT
Saint-Léonard

à

PIERRE COSTALS
Paris.

Novembre 1926.

Que vous êtes absurde! Avoir cru que je voulais mettre la main sur vous! Et tout de suite vous avez frémi, dans votre sauvage besoin d'indépendance.

En somme, qu'y a-t-il? Je vous l'ai dit : vous êtes pour moi comme un dieu. Et, un dieu, n'est-ce pas plus ou moins un miroir où se contempler, et se voir en mieux? Ne le crée-t-on pas à son image, mais supérieur? Vous êtes cela, mon double sublimé, le plus fort, le plus fier, le meilleur de moi. J'ai donc pour vous une passion calme et froide. Et, à côté d'elle, mon amitié. Vous êtes à la fois un dieu et un copain, n'est-ce pas délicieux?

Quels devoirs cela vous crée-t-il? Donnez-moi ce que vous m'avez donné jusqu'à ce jour, je ne demande rien d'autre. Je ne pèserai jamais dans votre vie plus qu'une plume. Qu'on se ferait petite, pour rester auprès de l'homme qu'on aime! Tant que je pourrai vous écrire, je ne serai pas vraiment malheureuse. Et que m'importe même si vous vous lassez de moi, puisque moi je ne me lasserai pas de vous, et qu'il me restera votre œuvre? En mettant les choses au pire, quand vous ne me donneriez plus que ce que vous donnez à tous, ce serait encore un don royal.

C'est pourquoi mon attachement pour vous est plein de repos.

Il me semble que Mme de Beaumont, qui aimait Chateaubriand plus que Chateaubriand ne l'aimait, a pu lui écrire ce que je vous écris là.

Comme cette idée de la réciprocité obligatoire est ancrée chez tous les êtres! On répète à un être : « Rassurez-vous : pour vous et pour moi, je ne vous aime et ne vous aimerai pas. Je vous porte une amitié passionnée, parce que cela me plaît, parce que je le veux, parce que c'est mon bonheur, parce qu'il est doux de penser à un être, de s'occuper de lui, de lui donner des joies. Je ne vous demande rien. Vous n'avez pas de dette envers moi. Je vous aime à mes risques et périls. » Et l'autre s'imagine que vous l'aimez d'un amour irrésistible et malheureux de n'être pas payé de retour. Mais pas du tout!

Vous ne m'en voudrez pas, non, vous ne pouvez m'en vouloir de cette demi-offrande mélancolique, plus fine de qualité que l'offrande des autres femmes. Ne me retirez pas votre estime. Et écrivez-moi quelquefois, je vous en prie. Quand vous gardez longtemps un silence absolu, je m'anémie, je tombe dans une sorte d'atonie spirituelle et morale. Comprendre me devient indifférent, si je ne vous fais pas partager le fruit de ma conquête.

Ma main.

A. H.

J'accepte avec reconnaissance votre offre de livres anglais, encore que j'eusse préféré ne rien vous devoir en ce moment.

30 novembre 1926.

Je le reconnais, chère Mademoiselle, il ne fait pas bon m'aimer. Sitôt que je me rends compte que quelqu'un tient à moi, je suis déconcerté et ennuyé; mon second mouvement est de me mettre sur la défensive. J'ai eu un profond attachement pour trois ou quatre êtres dans ma vie; c'étaient toujours des êtres dont je n'aurais pas juré qu'ils avaient seulement de la sympathie pour moi. Je crois que, s'ils m'avaient aimé, j'aurais eu tendance à me détacher d'eux.

Être aimé plus qu'on n'aime est une des croix de la vie. Parce que cela vous contraint soit à feindre un sentiment de retour qu'on n'éprouve pas, soit à faire souffrir par sa froideur et ses rebuts. De toutes façons une contrainte (et un homme comme moi ne peut pas se sentir contraint, sous peine de devenir malfaisant), et de toutes façons de la souffrance. Bossuet a écrit fortement : « On fait un tort irréparable à la personne qu'on aime trop. » C'est presque ce que j'ai écrit moi-même : « Vouloir aimer sans être aimé, c'est faire plus de mal que de bien. » La conséquence est dans La Rochefoucauld : « Nous sommes plus prêts d'aimer ceux qui nous haïssent, que ceux qui nous aiment plus que nous ne voulons. » Et votre serviteur de conclure : on ne devrait jamais dire à quelqu'un qu'on l'aime, sans lui en demander pardon.

Qui j'aime, me prend partie de ma liberté, mais là, c'est moi qui l'ai voulu; et on éprouve tant de plaisir à aimer, qu'on y sacrifie de grand cœur quelque chose. Qui m'aime, me la prend toute. Qui m'admire (comme écrivain), risque de me la prendre. Je redoute même ceux qui me comprennent, et c'est pourquoi je passe mon temps à brouiller mes traces : à la fois dans ma vie privée, et dans la personnalité que j'exprime par mes livres. Ce qui m'aurait charmé, si j'avais aimé Dieu, c'est la pensée que Dieu ne me rend rien.

Je redoute tout autant, faut-il le dire, un désir physique qui se porterait sur moi, sans que j'en pusse rendre l'équivalent. Je préfère, dans mes bras, une femme insensible, une planche à pain, à une femme qui éprouve de mon contact un plaisir plus grand que celui que j'éprouve du sien. J'ai le souvenir de certaines nuits *infernales*... Il y aura sûrement en enfer des démones qui vous désireront, sans qu'on les désire. Il est impossible qu'un Dieu amateur de supplices n'ait pas pensé à cela.

Je sais si bien comme il est dur d'être aimé plus qu'on n'aime, que je me suis toujours surveillé beaucoup quand je sentais que j'aimais plus que je n'étais aimé. Cela m'est arrivé quelquefois, pardi, et aussi de sentir que mon désir n'était accueilli que par complaisance : on avait des scrupules, ou on était froide. Quel soin j'apportais alors à ce que ma présence fût légère, de quels pas de chat j'avançais, avec quelle attention je guettais le premier signe de lassitude, pour faire machine arrière, espacer les rencontres!... Si j'en souffrais, faut-il le dire? Mais je savais que cela était vital pour mes affaires, que je perdrais tout en cherchant à m'imposer, et enfin que c'était moi qui étais dans mon tort, en aimant trop.

Je connais bien l'amour; c'est un sentiment pour lequel je n'ai pas d'estime. D'ailleurs il n'existe pas dans la nature; il est une invention des femmes. Ma tête serait mise à prix, que je me sentirais plus en sécurité dans le maquis, comme une bête traquée, que réfugié chez une femme qui m'aime d'amour. Mais il y a l'affection. Et il y a l'affection mêlée de désir, grande chose. Dans *chacun* des livres que j'ai publiés vous trouverez, sous une forme ou l'autre, cette affirmation : « Ce qui m'importe par-dessus tout, c'est d'aimer. » Mais il ne s'agit jamais d'amour. Il s'agit d'un composé d'affection et de désir, qui n'est pas l'amour. « Un composé d'affection et de désir, qu'est-ce, sinon l'amour? » Eh bien, non, ce n'est pas l'amour. « Expliquez-moi... » Je ne m'en sens pas l'envie. Les femmes ne comprennent rien à tout cela.

Et enfin je n'aime pas qu'on ait besoin de moi, intellectuellement, « sentimentalement », ou charnellement. L'inexplicable plaisir que des êtres éprouvent de ma présence, les diminue à mes yeux. Que voulez-vous que ça me fasse, de compter dans l'univers des autres!

Je vous envoie un article que j'ai publié là-dessus il y a bien des années. Je ne l'écrirais pas tel aujourd'hui. Il est excessif et sans nuances. Mais je n'ai pas changé sur le fond.

Encore un mot. Vous me parlez de Pauline de Beaumont. Je pense que Chateaubriand n'en aurait pas tant fait pour elle, si elle n'avait été mourante. Il savait que ce n'était qu'un moment à passer.

Je vous fais mille compliments, chère Mademoiselle.

C.

ARTICLE DE COSTALS
(FRAGMENT)

*L'idéal de l'amour est d'aimer
sans qu'on vous le rende.*

... A cette répugnance à être aimés, qu'ont certains hommes, je vois plusieurs raisons, contradictoires comme de juste, l'incohérence étant trait de mâle.

Orgueil. — Désir de *garder l'initiative.* Dans l'amour qu'on nous porte, il y a quelque chose qui nous échappe, qui risque de nous surprendre, peut-être de nous déborder, qui attente à nous, qui veut nous manœuvrer. Même dans l'amour, même en étant deux, on ne veut pas être deux, on veut rester seul.

Humilité, ou, si le mot paraît trop fort, absence de fatuité. — L'humilité d'un homme lucide, qui ne se connaît pas tant de beauté ni tant de valeur, et trouve qu'il y a quelque chose de *ridicule* à ce que ses moindres gestes, paroles, silences, etc., créent bonheur ou malheur. Quel injuste pouvoir on lui donne! Je ne fais pas grand cas de quelqu'un qui ose penser tout haut : « Elle m'aime », qui n'essaye pas au moins de diminuer la chose en disant : « Elle se monte la tête sur moi. » Par quoi sans doute il rabaisse la femme, mais ne le fait que parce que d'abord il s'est rabaissé soi-même.

Sentiment que je rapproche, par exemple, de celui de l'écrivain qui trouverait *ridicule* d'avoir des « disciples », parce qu'il sait de quoi est faite sa personnalité, et ce qu'il en retourne des « messages ». Un homme digne de ce nom méprise l'influence qu'il

44

exerce, en quelque sens qu'elle s'exerce, et *subit* de devoir en exercer une, comme la rançon de sa tarentule de s'exprimer. Nous, nous voulons ne pas dépendre. Et nous estimerions les âmes qui se mettent sous notre dépendance? C'est par une haute idée de la nature humaine, qu'on se refuse à être chef.

Dignité. — Gêne et honte du rôle *passif* que joue un homme qui est aimé. Être aimé, pense-t-il, est un état qui ne convient qu'aux femmes, aux bêtes et aux enfants. Se laisser embrasser, câliner, pressurer la main, regarder avec l'œil noyé : pour un homme, pouah! (La plupart des enfants eux-mêmes, si féminins qu'ils soient en France, n'aiment pas du tout qu'on les embrasse. Ils se laissent faire par politesse, et parce qu'il le faut bien, les grandes personnes étant plus musclées qu'eux. Leur impatience de ces suçotements n'échappe qu'au suçoteur, qui croit qu'ils en sont ravis.)

Désir de *rester libre*, de *se préserver*. — Un homme qui est aimé est prisonnier. Cela est trop connu, n'y insistons pas.

THÉRÈSE PANTEVIN
La Vallée Maurienne

à

PIERRE COSTALS
Paris.

3 décembre 1926.

N.-S. [†] J.-C.

Vous m'avez répondu! Vous m'avez écrit que vous vouliez bien lire une lettre de moi toutes les trois semaines! J'ai lu cela et j'ai baisé ces mots. Ne me faites pas languir. Si vous voyiez ma pâleur! Vite, écrivez-moi encore des mots que je puisse baiser.

J'ai pressé votre lettre sur mon sein, sur mes médailles, jusqu'à ce qu'elles me meurtrissent, et plus elles me faisaient du mal, plus cela me faisait du bien. Que tout ce qui me fait du mal me fait du bien! Je rêve que vous entrez dans ma chambre, mais si vous entriez je me mettrais peut-être à pleurer.

Si je le pouvais, je quitterais avec joie le « foyer d'infection ». Mais où aller? Il faudrait, comme Abraham, aller devant soi, sans savoir où, dans la sainte liberté des enfants de Dieu. Car, aller à vous, je n'ose pas, je ne saurais pas vous parler, vous ne pourriez pas m'arracher une parole... et cependant j'attends que vous me fassiez signe, malgré ma peur atroce de vous décevoir. Mais je ne reste pas toujours à la maison, je suis souvent aux champs. Je vais trois ou quatre fois l'an au chef-lieu. La semaine passée on a été à N..., à la foire, et je m'y suis bien distraite. Vous voyez que je ne mérite pas de devenir religieuse, si c'est cela que vous avez voulu dire.

Cependant, n'allez pas croire que je suis une évaporée. Tous les jours je repose dans l'Eucharistie, comme je repose de corps et d'âme, auprès de vous, dans le silence de chaque nuit, et tout ce qui existe repose alors en moi. Je prie pour mon pauvre père, qui ne croit pas au bon Dieu, et qui me rudoie tant. Savez-vous ce qu'il vient encore de dire à souper? « Il vaut mieux élever des cochons que d'élever des filles. » Il me regardait en disant cela.

Adieu, mon ami. Le cœur me pèse, de tout ce que j'ai à vous donner. Aimez-moi seulement un petit brin de ce que je vous aime, et l'Éternité nous prendra dans ses bras.

Marie Paradis.

PIERRE COSTALS
Paris

à

THÉRÈSE PANTEVIN
La Vallée Maurienne.

9 décembre 1926.

Mademoiselle,

Si vous êtes à Jésus-Christ, il ne faut pas être à
lui confusément. Admis que Dieu existe, il n'a donné
l'amour aux êtres, que pour qu'ils le lui rendent, à
lui seul. Dois-je vous rappeler saint Augustin :
« L'âme ne peut arriver à Dieu qu'en l'approchant
sans l'intermédiaire des créatures », ou ce mystique
(Maître Eckhart) qui va jusqu'à dire : « Savez-vous
pourquoi Dieu est Dieu? C'est parce qu'il est libéré
de toute créature. » Vous déshonorez Dieu en le
mêlant à moi. Ce margouillis soulève le cœur. Quand
je vois mêlés Jésus-Christ et la créature (mêlés, non
juxtaposés; car, juxtaposés, cela arrive en chacun
de nous), je pense toujours à cet écolier dont parle
la Princesse Palatine, qui s'était fait peindre des
figures de saints sur les fesses, pour n'être plus
fouetté.

Vous me dites que vous ne « méritez » pas d'entrer
en religion. Dites « Je ne suis pas destinée » ou « Je
n'ai pas été triée ». Cela est fort possible. Mais ne
parlez pas de mérite. De même que l'amour de l'être
pour l'être n'a pas besoin d'être mérité, de même la
grâce que Dieu fait à une personne, de la consacrer

à lui, il la lui fait par préférence à une infinité de personnes méritantes, sans qu'elle l'ait mérité. J'ajoute même que, si j'étais Dieu, ce que j'aimerais dans un être, ce serait ma grâce, en ce qu'elle est privilège. Cela dit, vous avez raison de ne pas vous croire. C'est souvent une grande marque qu'une œuvre ne se fait pas pour Dieu, et par son esprit, que tenir trop fermement qu'il l'approuve, comme c'est souvent la marque qu'une œuvre humaine est vicieuse, qu'être trop assuré qu'elle sera applaudie.

Peut-être y a-t-il en vous des forces qui pourraient être consacrées. Je ne sais ce que vous auriez à y perdre, mais je sais que cela n'est rien. Ce devrait être un Père de l'Église, qui ait créé cette expression : qui perd gagne. Je souffre de vous sentir en pleine imbécillité (du monde). Vous allez à la foire, vous allez au chef-lieu, et, loin que ce que vous voyez là vous saisisse de dégoût, vous y prenez plaisir. Si vous croyez, que faites-vous dans le monde? Il n'y a rien d'innocent dans le monde, sitôt que l'on croit. Un verre d'eau qui vous plaît à la bouche, et vous souffletez Jésus-Christ. Ni rien qui puisse y être seulement justifié. Toute menue que soit votre activité, elle est ridicule; j'aimerais voir les actes s'éteindre en vous, l'un après l'autre, comme les lumières, à la minuit, s'éteignent dans une ville. Un de mes confrères ayant parlé de la « vertu de mépris », un ecclésiastique a dansé dans une revue un vrai rigodon de ricanements et de dédain : « La vertu de mépris!... Joli chrétien!... » Mais l'Évangile est plein du mépris de Jésus-Christ pour le monde; et justement je lisais ailleurs ce matin : « Quel bonheur de savoir combien le monde est méprisable! Qu'on est faible quand on ne le méprise pas autant qu'il le mérite! » Qui écrit cela? Le « doux » Fénelon, le « cygne ». (*Médit. V.*) Mais il y a bien mieux, et qui suffit. Jésus-Christ mourant prie pour ses bourreaux, et refuse de prier pour le monde. *Non pro mundo rogo.* « Je ne prie pas pour le monde. » (Saint Jean, XVII, 9.) Voilà un tonnerre qui m'impose davantage que celui quand il expire. Il prie pour ses bourreaux, parce qu'il y a là une extravagance digne de son génie, mais il refuse de prier pour cette multitude inepte et corrompue qu'il a maudite dans l'Évangile. « Je ne prie pas pour le monde, mais pour ceux que vous m'avez donnés. » Foudroyante, merveilleuse parole, et qu'elle me fait de bien! Maintenant, Mademoiselle, soyez de ceux pour qui Jésus ne prie pas.

Le péché de résistance au Saint-Esprit me touche infiniment. Il y a peut-être, à cette heure, une maison religieuse qui voudrait que vous vous fondiez en elle cœur et chair, comme moi je me fonds cœur et chair dans mes écrits; elle vous attend, comme la terre attend la rosée du matin. Que vous soyez vivante, je le crois. Mais vivante d'une vie spirituelle? Je n'ai nul moyen de décider de ce qu'il y a en vous; peut-être n'y a-t-il rien. Vous n'avez pas d'objet plus pressant, que de savoir ce que vos mouvements valent. Il n'y a qu'un prêtre qui puisse démêler cela. Un bon directeur est le fondement de l'édifice que vous avez à bâtir. Allez donc voir le Père M..., à L..., au couvent des... Je connais le Père M...; il a l'honneur d'avoir été le plus grand pécheur du monde; c'est dire qu'il comprendra mieux vos péchés, sachant ce que c'est. Il vous mettra dans un tel état d'humilité, que la confession de ces péchés vous sera aussi agréable que les flammes le sont aux martyrs. Il ne préviendra jamais la grâce en vous, supposé qu'elle y soit, mais il la suivra humblement et fortement, après l'avoir éprouvée avec la plus grande précaution. Encore qu'aujourd'hui on n'entre plus en religion par inconscience, comme on le faisait jadis (et comme on continue d'entrer dans le mariage), l'Église ne saurait s'assurer avec trop de prudence d'une vocation. Il ne faut pas être faite religieuse par les hommes, mais par Dieu.

Vous priez pour votre père? Vous feriez mieux de prier pour vous-même. Avez-vous oublié comme l'Évangile est fort là-dessus? Et vous feriez mieux de lire l'Évangile, et de le comprendre, que d'aller si souvent à la messe, de communier, etc. Les abus sont souvent plus dangereux que les erreurs, parce qu'on y prend moins garde. La piété doit être sans gestes, comme la douleur, et j'oserai presque dire : aussi silencieuse. Quel cri que le silence de Moïse devant Dieu!

Ne cessez pas de vous rappeler, quoi que je vous écrive, que je n'ai pas la foi chrétienne. La foi est ténèbres, cette expression est fréquente sous les plumes religieuses; et moi je suis toute clarté crue. Ne cessez pas d'avoir présent que je n'ai pas la foi, qu'elle ne me manque pas, que je pense ne l'avoir jamais, que je ne souhaite pas de l'avoir jamais. « Il y a une voie qui, encore qu'elle paraisse bonne quelquefois, conduit en enfer. » Peut-être suis-je cette voie. En imagination et en espérance, je me suis damné cent mille fois. En action — dans l'accomplissement total et absolu de mes désirs, — je me suis damné encore cent mille fois. Et en souvenirs et en regrets, je me suis damné encore cent mille fois. Et cela est une partie de ma gloire. Et j'ai aidé assez de femmes à se damner pour que j'en aide une dans l'aventure contraire. Car je suis une âme de grâce, et les âmes de grâce se communiquent comme la grâce même, qui prend toutes les formes. Et je suis — essentiellement — *celui-qui-prend-toutes-les-formes*.

Je vous parle un langage qui doit vous être en partie incompréhensible. Vous y picorerez ce que vous pourrez.

Pardonnez-moi, Mademoiselle, mon indiscrétion.

Costals.

ANDRÉE HACQUEBAUT
Saint-Léonard

à

PIERRE COSTALS
Paris.

14 décembre 1926.

Vous restez plus de trois semaines sans m'écrire.
Enfin cette mince carte postale, avec dix mots, pas
un de plus, m'apporte vos vœux, et me demande de
mes nouvelles. De mes nouvelles? Je ne puis pas vous
dire éternellement que je suis malheureuse. Il faudra
bien, pourtant, que je sorte de cet état de crise qui
me tue. Le jour, qui ne peut être lointain, où il me
sera prouvé avec plus de preuves encore que toute
issue m'est fermée du côté de l'amour, je ne m'obsti-
nerai plus. L'horrible est de s'accrocher. Il restera
le renoncement volontaire, la vie hautaine et pure.
Je suis de la génération sacrifiée, de celle des jeunes
filles dont les chances d'amour ont été décimées par
la guerre tueuse de garçons : nous sommes des veuves,
nous aussi. Quant au braconnage, à l'aventure, je ne
suis pas encore mûre pour cela.

Il me semble que ce renoncement m'ouvrirait un
grand domaine. « Je suis vaincue, ça y est, c'est fini.
Donc, tout ce qui viendra sera munificence. Puisque
je ne cherche plus, c'est peut-être que j'ai trouvé. »
J'ai souvent observé en moi ce revirement, quand je
parviens au paroxysme d'une épreuve quelconque;
un sursaut de fierté rageuse, une espèce de dessèche-

ment, de détachement, d'âpreté soudaine envers le destin : « Et puis, arrive ce qu'il voudra. Il me reste moi. »

Il me reste vous, aussi, bien entendu. Dans mon désarroi et mon désespoir, j'ai une espèce de paix : « Il ne peut pas, il ne veut pas être mon bonheur. Mais il est ma vérité. Il ne veut pas que je l'aime, je lui déplairais et me perdrais. Mais enfin c'est une paix suprême, dans la faillite de ma vie, quand tant de femmes ne trouveront jamais l'homme qui leur fera vibrer le cœur, ou aimeront Dieu sait qui, par besoin d'aimer, c'est une paix suprême d'avoir découvert enfin cette certitude : il y a au monde un homme qui me comble, que j'aurais pu aimer de tout mon être. Je n'ai plus à chercher ni à attendre, ce destin épuisant des femmes seules. » Oui, me dire cela me pacifie. Cette impression d'avoir *atteint*, d'avoir *eu*, d'échapper enfin au tourment vague et indéfini, à l'appétit désordonné d'amour, — ce renoncement à un trésor précis, et non à des possibles innombrables et inconnus, — c'est presque posséder, par comparaison.

Noël! Abîme d'ennui et de médiocrité chez ceux avec qui je dois le vivre. Journée de pluie, de nostalgie, d'angoisse. Pourquoi, certains jours, toutes ces choses hostiles, à d'autres moments tapies, inoffensives, et qui soudain se lèvent, vous assaillent à la fois? C'est atroce, de subir cette ruée. Et je songe au Noël de ceux qui s'aiment, à l'adorable Noël de *Werther*. Quel dommage de ne plus pouvoir mettre mes souliers dans la cheminée! J'en aurais mis deux paires, parce qu'il y a quatre choses dont j'ai une envie folle : un mari (avec amour), un phono, un livre qui parle de Cosima Wagner, et un bibi orné d'aigrette, un bibi que je ne vous décris pas, parce que vous vous moqueriez de moi.

Heureuse année 1927! Je vous aime bien, Costals, vous savez. Et si le bonheur se donnait comme un diamant, il aurait vite passé de ma main dans la vôtre. Je vous renouvelle l'expression de mon dévouement à toute épreuve. Mais quand, quand voudrez-vous en user?

A. H.

(Cette lettre est restée sans réponse.)

Saint-Léonard. Janvier. 7 degrés au-dessous. La nuit, malgré le poêle, l'eau gèle dans la maison Hacquebaut.

Ce qui vous frappe surtout dans la chambre d'Andrée, c'est que, dans cette chambre, meubles, étoffes, objets, tout date d'au moins vingt ans, et en porte l'usure : depuis vingt ans on n'a rien acheté, ou presque rien. Il n'y a de beau que quelques « sous-verre » de tableaux célèbres, choisis avec goût, et avec un goût peu féminin (un goût où il y a le sens de la grandeur).

Des appels de trompe, au dehors. Combien de fois cette trompe lui a fait battre le cœur ! Malgré le froid, elle entr'ouvre la fenêtre. La grosse lanterne de la bicyclette du facteur éclaire la porte de la maison voisine. Puis elle bouge, s'approche. Comme pour une étoile filante, tandis que la lanterne passe, Andrée jette un vœu : « Mon Dieu, faites qu'elle s'arrête ! » Mais la lanterne s'éloigne. Là-bas aussi, il y a cet homme qu'elle appelle, et qui passe sans s'arrêter.

Assez isolée déjà de l'humanité, le froid l'en isole davantage encore. L'atmosphère neigeuse arrête les sons. Tout vit au ralenti, se recroqueville. Les rapides ne marchent plus. Le courrier arrive avec un jour de retard. Et qu'importe, d'ailleurs ? Jamais de lettre de Costals. Par bonheur, elle sait qu'en février elle ira passer un mois à Paris.

Elle avait toujours souffert de ne sentir personne

au bout du fil, de ne savoir à quel être se vouer, à quelle cause. Enfant, elle montrait déjà les symptômes de cette sorte de maladie que Costals, dans un jeu de mots qui sent le carabin, appelait la *lettrite* d'Andrée. En ce temps-là, elle s'écrivait des lettres à elle-même, un peu comme ce poète anglais de la dernière guerre, qui, à chaque escale vers les Dardanelles, payait un gamin pour qu'au départ du paquebot il agitât son mouchoir (Costals professe qu'un tel trait est simplement *répugnant*, qu'on ne peut pas serrer la main à un homme qui a cette sorte de sensibilité). Plus tard, elle avait longtemps collaboré à la petite correspondance des journaux de modes, qui est pour les jeunes filles un ersatz d'homme, comme le chienchien est pour les femmes un ersatz d'enfant. Cette correspondance avait cessé quand elle s'était mise à écrire à Costals.

Elle lui en noircissait des pages et des pages, pendant des heures, ne s'arrêtant quelquefois qu'à cause d'une crampe à la main. Comme la plupart des femmes, ce qu'elle envoyait sous forme de lettres, c'était son journal. Vastes pages sans marges, non numérotées, avec des mots grattés ou surchargés, des lignes ajoutées dans tous les sens et même en travers des autres lignes. Costals, quand il recevait la lettre, la soupesait en soupirant, évaluant la quantité de feuillets qu'elle devait contenir : pour un homme qui, comme la plupart des hommes, ne pouvait pas lire une lettre longue, c'était à chaque fois le coup dur. Il était rare que l'enveloppe, crainte qu'elle ne crevât sous le poids, ne fût pas consolidée à l'aide de ces papiers gommés qui entourent les timbres dans les carnets. A l'intérieur, Costals trouvait souvent une photo d'elle, qu'avec rage, sans même y jeter un coup d'œil, il déchiquetait et jetait au panier. Ah! si elle l'avait vu alors, quel coup de poignard! Mais aussi, en une seconde, elle eût enfin compris. A moins que, inguérissable, elle n'eût pensé : « On n'a un tel mouvement de rage que quand on aime. Qu'a-t-il contre moi aujourd'hui? » Quelquefois elle parfumait ses lettres d'un parfum si violent qu'il était obligé de leur faire passer la nuit dehors, suspendues à des pinces à linge, et encore cela ne suffisait-il pas : durant huit jours elles empestaient le tiroir de son bureau. S'il s'en plaignait à elle, elle de se plaindre à son tour : l'amitié pouvait-elle être atteinte par de semblables vétilles? Elle était incapable de se rendre compte : 1º qu'il n'y avait pas d'amitié, 2º que, s'il y avait eu amitié, oui, elle eût été atteinte, car, lorsqu'il s'agit de la qualité d'un être, il n'y a pas de vétilles. Il en était de même pour son papier à lettres, d'un format « impossible ». Comme Costals conservait ses lettres, il lui avait fait observer combien elles étaient gênantes dans ses liasses, dont, en les dépassant, elles détruisaient la netteté. Peine perdue. De sorte qu'il arrivait qu'il jetât des lettres d'elle, par seul agacement d'en voir les bords devenir dentelle dans ses dossiers.

A ces lettres Costals faisait de temps en temps l'aumône d'une réponse. Petits mots illisibles, tant il écrivait vite pour en avoir plus tôt fini. Petits mots où il disait ce qui lui passait par la tête dans le moment, — vraiment, n'importe quoi. Petits mots où il la taquinait toujours un peu, parce que c'était un trait de sa nature, d'être joueur. Elle, elle croyait qu'on ne taquine que ce qu'on aime. Aux heures où elle était lucide, elle trouvait que ces petits mots étaient touchants de bonne volonté, ce qu'ils étaient en effet.

Au début, elle lui avait envoyé aussi des petits cadeaux. Paniers de fleurs, de fruits, d'abord il avait eu la faiblesse, la paresse et la charité de les accepter. « Je lui ferais beaucoup de peine en les refusant. » Quand elle lui envoya un assez joli fume-cigarette, il le retourna, avec une lettre gentille. Une année durant, elle cessa les cadeaux, puis recommença : de l'eau de Cologne, des sachets de lavande. Il lui écrivit : « Chère Mademoiselle, je ne vous retournerai plus vos petits cadeaux. Chacun d'eux, automatiquement, je le donnerai à une de mes maîtresses » (c'était ce qu'il avait fait). Elle en fut jugulée. Il n'y eut plus de petits cadeaux.

L'autre remède au désœuvrement d'Andrée, c'était la lecture. Livres prêtés, livres envoyés par un cabinet de lecture, livres achetés même (des folies, des livres de trente francs), elle lisait à s'en faire mal aux yeux. Presque toujours des livres de valeur. Et presque toujours quelque chose d'intéressant dans les réflexions qu'elle griffonnait sur leurs pages blanches.

Correspondance, lecture, quoi encore? Elle faisait venir des prospectus d'agences de voyages, des catalogues de livres rares, d'autographes, de disques, des catalogues de grands magasins aussi, et les feuilletait interminablement, y marquant ce qu'elle aurait voulu avoir, presque sans amertume. Que des millions de sots et de sottes pussent jouir, grâce à de l'argent volé, des biens de l'esprit, de l'art, du luxe, qui lui étaient interdits, elle ne se révoltait pas là contre. Elle avait essayé d' « écrire », mais s'était vite rendu compte qu'elle n'avait pas de talent littéraire. Quelquefois, n'en pouvant plus, elle sortait et se promenait sans but dans la campagne, bien qu'elle n'aimât pas la nature, du moins la nature de Saint-Léonard. Elle ne l'aurait aimée que comme un décor pour des vivants.

A certaines heures, cette vie lui était supportable : si elle ne se sentait pas heureuse, elle ne se trouvait pas malheureuse. Lisant un beau livre : « Dire qu'il y a des femmes qui font huit heures de bureau par jour! » A d'autres elle s'ennuyait à la folie. Folle de trop de loisir, et de ne savoir qu'en faire. Mais se refusant néanmoins à tout travail matériel, par un sens très aigu de la valeur du temps. Sa mère vivante, jamais elle n'avait voulu l'aider au ménage, repriser, coudre ses robes. « Faire des confitures, quand pendant ce temps-là je pourrais me cultiver, découvrir un grand écrivain que je n'ai pas lu, apprendre quoi que ce soit, fût-ce en lisant le Larousse! » Il lui fallait un poignant élancement de douleur, pour se jeter dans une besogne manuelle. Ainsi, aux instants où elle se sentait démâtée, elle reprisait ses bas. C'était devenu une équivalence : grande tourmente = reprisage de bas. Au point que l' « œuf » carmin qui servait à cet usage, quand elle l'apercevait en période sereine, la faisait frissonner. Depuis la mort de sa mère, il avait bien fallu se mettre aux tâches subalternes. Mais jamais sans une impatience véhémente. Il y avait là quelque chose qu'elle n'acceptait pas.

Un jour, Costals lui avait dit :

— Si j'avais eu le malheur d'avoir une fille, j'aurais eu le feu au derrière tant qu'elle n'aurait pas été casée, et plus encore si elle n'avait pas eu de fortune. Les parents sont bien fiers d'avoir produit un lardon, et le trompettent à tous les vents, mais lorsqu'il s'agit de l'élever avec un peu d'intelligence, adieu. Et je comprends qu'il soit terrible pour des gens sérieux de faire ce qu'il faut pour établir une fille (intriguer, recevoir, etc.), puisque tout ce qui entoure le mariage est, sans conteste possible, ce qu'on peut imaginer de plus niais dans la vie d'un être humain. Mais il ne fallait pas se mettre dans ce cas! C'est toujours la même chose. Faire des enfants, puis ne savoir qu'en faire. Tant d'attention, de conscience, de sérieux pour un accouchement, et tant de légèreté, d'aveuglement et de bêtise pour une éducation. Et nous arrivons aux parents qui, sans fortune, ne marient pas leur fille, attendent, attendent on ne sait quoi, attendent qu'elle devienne gratte-cul, et ne puisse plus prétendre autant. Je connais des parents criminels, dont la fille était faite pour le mariage, et qui l'ont installée.dans le célibat, pour la garder auprès d'eux. Tout cela pour vous dire que vous n'avez qu'une chose à faire. Prendre à Paris un travail peu astreignant, qui vous assure la matérielle, et, toutes autres affaires cessantes, ne vous occuper plus qu'à *voir des gens*, c'est-à-dire à chercher un mari. Votre unique objet, momentanément, doit être de vous faire des relations.

Mademoiselle s'était vexée de ces paroles. Elle était comme ces faux artistes, qui crient contre les bourgeois, et sont plus bourgeois que quiconque. « Se faire des relations », c'était cela le conseil qu'on donnait à une fille sublime!

— Vous qui méprisez le monde, vous qui vous gorgez de solitude, vous me dites cela! Les relations, c'est bon pour moi!

— Je vis dans la solitude parce que j'ai conquis et payé le droit d'y vivre. Quand j'avais vingt-cinq ans, j'ai « vu des gens », moi aussi : c'est parce que j'ai fait alors des choses qui m'ennuyaient que je peux ne faire aujourd'hui que ce qui me plaît. Il ne s'agit pas de savoir s'il est amusant de voir des gens. Il s'agit de savoir si vous voulez rester fille, sans le sou, à Saint-Léonard (Loiret). Si non, il faut vous marier convenablement, et vous ne vous marierez convenablement que si vous faites défiler devant vous des messieurs convenables, à tire-larigot, comme on fait défiler devant soi des étalons au tattersall. Ce que vous ne pouvez faire qu'à Paris. Trouvez-y une situation. Si vous voulez, je peux vous aider à en trouver une.

« Je l'aurai tout le temps sur le dos », avait pensé Costals. Malgré cela, dans cette malheureuse crise d'altruisme, il ne lui dit pas seulement : « Je vous aiderai à trouver une situation. » Il s'engagea davantage : « Je vous ferai connaître du monde. » Elle accepta.

Si elle ne l'avait pas aimé, peut-être l'eût-il prise comme secrétaire : la sienne venait de le quitter. Mais prendre comme secrétaire une femme qui vous aime!... Costals avait un ami : M. Armand Pailhès,

homme parfait, fameux père de famille, était secrétaire général d'une grande entreprise de vol (une
société pour la reconstruction du Nord envahi). Il
offrit un poste de dactylo, et Andrée débarqua à Paris.

Mais Andrée, lorsqu'elle dut faire un travail qui
mordait sur sa vie intérieure, se crispa : c'était plus
fort qu'elle. Elle ne travaillait pas une demi-heure
sans pousser des soupirs qui exaspéraient son chef
de service. Elle restait vingt minutes aux lavabos, à
lire Nietzsche. Elle arrivait en retard, et partait en
avance. Dès le quatrième jour, un livre de Valéry
ouvert dans son tiroir à demi tiré, elle se plongeait
dans la poésie pure aussitôt que son chef s'éloignait :
à sa façon brusque de refermer le tiroir, s'il se
retournait, il la découvrait. Par ailleurs, bien qu'elle
tînt que sa discrétion ressortît à l'héroïsme, ses
pneumatiques à Costals, au rythme d'un tous les
trois jours (« Ne viendrez-vous pas dimanche à ce
concert de musique espagnole?... » — « J'irai samedi
à l'exposition d'estampes de la Bibliothèque Nationale. Si par hasard vous étiez libre... »), excédaient
l'écrivain : il s'excusa deux ou trois fois, ne répondit
plus aux suivants, et finit par les déchirer sans les
ouvrir. Et il faut bien dire qu'il ne faisait rien pour
lui « faire connaître du monde ». Lui aussi il s'estimait héroïque, de l'avoir placée à Paris, et il avait
l'héroïsme court; promener Andrée dans les réunions, plutôt mourir. Enfin l'un et l'autre se jugeaient
héroïques, ce qui tourne toujours mal. Lorsque à la
fin du mois, éclairé sur la jeune fille, M. Pailhès
trouva un prétexte pour la rendre à sa chère liberté,
tout le monde en fut content, et Andrée elle-même.
Vivre à Paris, mais y être prisonnière dans ce stupide
bureau, avoir tout ce qu'elle aimait à portée de la
main, mais n'en pouvoir jouir, mieux valait encore
sa province, où du moins, si elle souffrait, elle souffrait sans irritation. Ce fut presque avec soulagement
qu'elle reprit le train pour Saint-Léonard.

Dans la salle d'attente du Centre de Réforme, où ils attendent de passer la visite, deux cents Français moyens, anciens combattants, ni bourgeois, ni peuple, mais de cette classe intermédiaire qui fait la France, avec leur génie français d'être ficelés comme l'as de pique, et leurs visages blêmes, ah, ma foi, pas beaux, de Parisiens.

Foule inquiète, où les hommes vont et viennent, se faufilent, comme font les taureaux dans le troupeau quand ils sentent l'approche de l'homme; ce sont surtout les unijambistes qui sont obstinés à ne pas vouloir s'asseoir. Celui-ci sursaute à chaque nom qu'on appelle; celui-là s'informe des cabinets : la pensée que sa demande en révision de pension va être rejetée lui a tapé sur le ventre. Pourtant il y a aussi des petits pères tranquilles, vieux récidivistes, qui lisent le journal. Courage merveilleux de celui qui, dans la foule, déploie *l'Action Française.* (Si on ne lui réduit pas son taux d'invalidité, à celui-là, c'est qu'il n'y a plus de gouvernement.) Et les visages douloureux des grands blessés, venus avec leur « dame ». Et un bourgeois à ruban rouge, qui ne s'est pas assis avec le commun sur l'un des bancs, mais un peu à l'écart, sur l'unique chaise de la salle, afin de bien montrer que dans cette dure épreuve sa respectabilité restait intacte. (En entrant, Costals a mis ses gants dans sa poche, pour n'être pas le seul ici à avoir des gants.)

Costals imaginait tous ces hommes sous la capote, et alors il les aimait, tandis que, dans leurs habits civils, il avait plutôt une tendance, très classe possédante, à voir en eux des fricoteurs. « Par exemple, ce gros... Est-ce qu'on peut à la fois — se demande notre psychologue professionnel — être malade et être gros? Et celui-ci, avec son œil canaille, clair qu'il n'a rien, mais ce qui s'appelle rien. » Là-dessus l'homme à l'œil canaille se tourne, et montre une manche de veston vide au psychologue professionnel.

La houle de respect, d'espérance, de crainte, l'acuité soudaine des regards, quand passe un médecin. Acuité? Mais en même temps humilité. Quelques-uns le saluent, pour se rappeler à lui, qui ne les a vus de sa vie. Lui, il passe, la cigarette haute, non pas qu'il soit fumeur, il ne l'est pas du tout, mais parce que c'est là le signe de sa puissance, car il est interdit de fumer ici. A deux ou trois pauvres diables particulièrement salueurs, il donne, il *laisse* sa main sans s'arrêter, sans tourner la tête. Tandis qu'il va, le puissant écarte un peu les hommes en les prenant par le gras du bras avec une supériorité affable, comme on touche le dos des moutons quand on veut se frayer passage au travers du troupeau. Eux d'abord, quand ils ne savent pas encore qui leur prend le bras par derrière, ils sursautent; mais sitôt qu'ils ont vu ils s'illuminent : le puissant les a *touchés*, eux indignes! Ah! leur affaire est en bonnes mains.

Si le médecin s'arrête pour parler à l'un d'eux, soudain ils sont trois ou quatre, puis six, puis dix qui font cercle sans vergogne et écoutent, essayant de saisir au vol une combine qui leur fera obtenir quelque chose, ou seulement hâtera leur tour de passage. Soudain si humbles, si follement et indécrottablement respectueux des gens en place, soudain si prêts à accepter tout, que cela fait mal.

Un écriteau avertit que : « Il est formellement interdit aux médecins assistants de recevoir aucun honoraire dans les locaux du Centre de Réforme. » Pourquoi, ô administration, vouloir nous glisser dans l'esprit que ces honoraires peuvent avoir quelque chose de louche? Nous savons bien que tout ce qui touche aux Pensions est pur comme le cristal.

Le beau jeu de physionomie de cet homme, quand un des médecins quitte la salle, du côté de la sortie. Il lutte contre sa timidité, enfin la vainc, et rapidement gagne la sortie derrière le médecin, qu'il va accrocher dehors; et il baisse les yeux, feint l'indifférence, pour que les autres ne saisissent pas son manège, ne le suivent pas afin d'accrocher le médecin en même temps que lui.

Des hommes s'en vont, mais il en entre aussi. De sorte que (profondément convaincu comme on l'est que c'est soi qui passera le dernier de tous) on se dit qu'on n'en verra jamais la fin. Ce qui est très « guerre », en effet.

Aux portes des salles de visite, de temps en temps un employé paraît, et appelle les noms des hommes qui doivent entrer. Ceux de qui la vie militaire et la vie civile sont d'un seul tenant dans la chétivité, les éternels « deuxième classe » répondent « Présent! », à la tourlourou. Un des employés criant les noms d'une voix de stentor, des hommes rient, et les autres, alors, ayant compris que c'était drôle, rient à leur tour. Une vaste houle de rigolade. Soudain tout à fait le front.

Quelques hommes, en entrant dans le laboratoire, voussent le dos, pour se donner l'air plus malade. D'autres, au contraire, frétillent, font les gracieux, pensant que c'est l'air qui *plaira* le mieux. C'est toujours à la salle des « appareils respiratoire et circulatoire » qu'il entre le plus de monde, parce que c'est le service qui permet le mieux la simulation. Par la porte ouverte, le laboratoire apparaît dans une lueur verte et limpide, d'aquarium ou de nuit d'Orient. On a une échappée sur ce qui se passe dans la salle de visite. Un homme y cherche à lire ce qu'écrit sur lui le médecin et continue de parler, de mentir dans le vide, tandis que le médecin, levé, lui tourne le dos avec désinvolture. Un homme respire fortement, d'oppression. Un homme revient en se reculottant, et on voit sur son caleçon l'étiquette du prix qui est restée : c'est un caleçon qu'il a acheté hier, parce que son linge n'était pas dans un état décent. Son regard en dessous crie qu'il a roulé le médecin, ou croit l'avoir roulé, et il marche les paupières baissées, comme un homme qui va à la table de communion, pour cacher la lueur de triomphe dans ses yeux, qui le trahirait. D'autres sortent, le col, la cravate défaits, ce qui accentue le côté Police Judiciaire de l'endroit (en venant Costals pressait le taxi, pensant que s'il arrivait en retard de cinq minutes, on le ferait passer au Conseil de Guerre). Quelques-uns de ceux qui sortent discutent le coup sous la casquette, avec leur visage parisien de tuberculose et de revendication. Mais ce sont des révoltés paisibles, à la française : un coup de blanc arrangera tout cela. Ou seulement qu'un autre médecin traverse la salle, voici de nouveau dans leur regard cette atroce lueur d'humilité. Ils attendent de lui quelque chose, et cessent donc d'être révoltés. On ne se révolte que contre cela dont on n'attend rien.

Depuis que les heures passaient, la fatigue commençait à se faire sentir. Les unijambistes eux-mêmes avaient renoncé à rester debout. Une hébétude accablait le troupeau. Quand on voyait comment ils acceptaient, et comment on acceptait soi-même, convoqué pour huit heures et demie, de passer à midi moins dix, on comprenait comment elle avait pu durer quatre ans et demi.

Un aveugle sortit d'une des salles, conduit par une jeune fille, — et l'ordre de guerre, comme un ballon qui crève, fut dégonflé sur-le-champ pour Costals. Elle avait des yeux minces, bridés, bleuâtres sous les cheveux noirs, comme on les a en Andalousie, ce qui est aussi troublant que des yeux noirs chez une vraie blonde. Le front petit (ah! qu'elle soit bien bête!). Des frisons dans le cou; et, alors qu'il avait toujours proclamé qu'il n'aimait que les nuques rases, voici que le plaisir de se donner un démenti (sa liberté, comme Dieu) lui faisait adorer ces frisons. Sa peau était tellement tendue qu'on aurait dit du marbre, et mate, mais son nez luisait un peu, comme les marbres sont polis à l'endroit où on les a baisés beaucoup. Elle penchait un peu la tête de côté, comme pour indiquer la place du cou où devrait se poser le baiser. Il l'aimait quand elle tapotait et arrangeait ses cheveux : le même geste que les midinettes; il aimait cette grande communauté de certains gestes chez les femmes. Son corps bien plein et pourtant gracile : ce qu'on appelle la *morbidezza*, n'est-ce pas?

Elle croisa Costals et il huma l'odeur de son sillage, comme font les chiens au nez palpitant. Le couple sortit. Costals n'hésita pas, et les suivit : au chef du Centre de Réforme il écrirait un joli mensonge.

Il allait s'offrir pour leur chercher un taxi. Mais à peine étaient-ils dans la rue, qu'un taxi vide passa. Et ce fut le cher maître qui resta sur le trottoir.

Il en fut enchanté. « Comme cela, se disait-il, je vais pouvoir travailler tranquillement. »

Andrée, le jour même de son arrivée à Paris, alla au concert. Combien, jadis, ces heures de musique avaient compté dans cette vie sans amour! Elles lui tenaient lieu de toutes les ivresses. Des milliers d'amants la saisissaient dans leurs bras. Quelle retombée, ensuite, de ce septième ciel dans la rue de Paris! Alors elle sentait bien qu'elle ne pourrait jamais épouser un médiocre. Cette fois, elle s'ennuya au concert : atonie et indifférence. Cette musique qu'autrefois elle avait aimée avec désespoir, faute de pouvoir aimer autre chose, maintenant lui paraissait si fade, en regard de la présence prochaine de Costals! Costals la dégoûtait de tout, démolissait tout autour d'elle, tout ce à quoi elle s'appuyait, faisait le vide comme s'il voulait qu'elle n'aimât plus que lui. Ce n'était plus Beethoven, c'était lui, sa « musique de perdition ». Cette *Symphonie pastorale*, avec ses imitations du cri des oiseaux, elle trouva cela puéril. Les sons lui arrivaient à travers une épaisseur de distraction et d'ennui. En vérité elle n'écoutait pas, elle ne pouvait pas écouter. La moindre musiquette aurait bercé aussi bien sa rêverie.

Costals l'avait invitée à dîner pour le lendemain. Le restaurant était un petit bouchon à vingt francs. Ils ne causèrent que littérature. Flanquée de chaque côté d'un dîneur, à un mètre d'elle, elle n'eût osé parler de ce qui lui tenait au cœur. Ajoutons qu'elle n'en éprouvait guère le besoin. Elle était à Paris pour un mois : elle avait le temps. Et puis, auprès de lui, elle ne sentait plus qu'un unisson profond, qui les faisait frère et sœur, lui semblait-il. (Elle revenait toujours à cette expression « frère et sœur »; cependant elle pensait à présent : « Byron et Augusta », ce qui était y mettre une nuance de plus.) Cette paix, ce bien-être, cette sécurité, cet abandon. Cette impression de l'inutilité des paroles, et de se sentir merveilleusement seule, presque plus seule qu'avec elle-même...

Elle s'étonnait d'être sans trouble. C'était, pensait-elle, à cause de cette entente profonde par l'esprit, plus forte que l'amour, et supérieure à lui. Et aussi parce que, depuis la lettre-bourrade de Costals, elle s'appliquait à demeurer dans la nuance d'amitié virile où il désirait la voir rester, et à chasser le trouble. Elle n'avait même pas, auprès de lui, le désir d'une de ces caresses chastes qu'aiment les jeunes filles, sinon celui, quelquefois, de baiser sa main. Encore ce geste ne lui paraissait-il pas un geste d'amour, mais plutôt un débordement de gratitude, comme si elle ne trouvait pas de mots, ou n'osait pas ou ne savait pas les dire.

Lui, de l'autre côté de la table, jamais son regard ne se posait sur elle, il passait par-dessus sa tête; elle ne s'en apercevait pas. D'ailleurs, il ne regardait jamais personne, que les êtres qu'il désirait; toujours au delà.

Une fois, cependant, ses yeux s'arrêtèrent sur les avant-bras nus de la jeune fille, — et ils ne pouvaient plus s'en détacher. Ces bras étaient sales. En vain s'efforça-t-il de croire que leur teinte grisâtre était la couleur naturelle de la peau : l'illusion était impossible. Un long moment il garda les yeux fixés sur ces bras, sans plus pouvoir dire une parole. Peut-être que, s'il l'avait désirée, il l'en eût désirée davantage (un simple peut-être). Ne la désirant pas, il en était glacé.

L'atmosphère de badinage rieur créée par l'écrivain — et vite revenue — fut animée davantage encore par lui vers la fin du repas. Andrée crut à l'effet des liqueurs, voire de sa présence. Or, cette gaieté était née soudainement en Costals, à l'instant où il avait décidé qu'il allait écourter la soirée, prétendre qu'il devait se retirer de bonne heure : c'était la gaieté du cheval qui sent l'écurie.

Elle accueillit son congé avec bonne humeur, et s'en revint à pied. Cette douceur calme, elle la retrouvait à chacune de leurs rencontres. Après les angoisses provoquées par les longs silences de Costals, pendant lesquels elle souhaitait n'importe quoi de fracassant, qui la guérît de son amour — silences qui l'auraient poussée à toutes les folies — quand elle le revoyait tout devenait simple et paisible, tout se passait dans le même mouvement naturel et facile, à tel point qu'elle se trouvait presque froide devant lui.

Costals lui avait dit, en la quittant : « Je vous ferai signe dans deux ou trois jours. » Une semaine écoulée, elle lui écrivit. Costals bougonna, mais il jugeait cruel de la priver plus longtemps d'une nouvelle rencontre, durant ce pauvre mois de Paris sur lequel elle avait tant compté. Il avait affaire dans le même quartier, celui de l'avenue Marceau, le surlendemain, à quatre heures puis à huit heures. Entre temps il serait libre. Il lui donna rendez-vous à cinq heures et demie, rue Quentin-Bauchart, sur le trottoir en face du numéro 5. A cette heure il sortirait de cette maison, après une visite à des amis.

Andrée, à cinq heures vingt-cinq, sur le trottoir de la rue Quentin-Bauchart, accusait déjà Costals d'être en retard. Il avait oublié leur rendez-vous, il était sorti en avance, et parti. Elle s'étonnait un peu de ce rendez-vous sur le pavé, dans la nuit, en cette journée particulièrement froide et cinglante du début de février. « Donnerait-il un tel rendez-vous à une femme qu'il aime vraiment, ou seulement qu'il compte pour quelque chose? » Mais il débouche, elle tressaille, et les voici qui s'en vont côte à côte, dans la rue noire aux lumières blanches et rouges.

— Je ne suis pas en train, dit Costals, d'emblée. L'autre jour, je vois chez un marchand un petit jade qui me fait envie : mille francs. Je décide que je l'achèterai le soir, en repassant devant le magasin. Là-dessus je rencontre une vieille femme, qui tenait il y a quelques années un kiosque de fleurs, où j'achetais toujours des violettes pour mes bonnes amies. Elle est veuve; elle me parle de ses deux enfants, tous deux malades; des méchancetés que lui fait son frère; de son dénuement. Patatras! me voilà démonté; j'ai honte d'acheter mon jade; je lui glisse dans la main le billet de mille francs. Eh bien, je ne m'en suis pas encore remis.

— Que voulez-vous dire?

— Je ne me suis pas encore remis de la contrariété que cela m'a causée, de lui donner les mille francs au lieu d'acheter le jade.

— Qui vous empêchait d'acheter le jade, aussi?

— Õh! je l'ai acheté, bien sûr, mais ce n'était plus la même chose. Ce qui me contrarie, c'est d'avoir donné mille francs par pure charité. Ça a empoisonné ma semaine.

— Voyons, la satisfaction du... non, je ne dirai pas : « du devoir accompli », c'est trop poncif... Enfin, quand même, vous n'éprouvez pas une certaine satisfaction pour avoir fait plaisir à cette femme dont vous aviez pitié?

— Non. J'en ai...

— Dites-le donc : du regret.

— Oui, du regret. J'ai honte. Et, en même temps, autre chose m'ennuie. C'est que je trouve que, mille francs, qu'est-ce que c'est que mille francs? Je suis empoisonné par le désir de lui donner davantage.

— Que vous êtes compliqué, mon pauvre ami!

— C'est que vous ne savez pas ce que c'est que la pitié. C'est un sentiment qui suffirait à ruiner une vie. Heureusement que je me défends. J'ai une discipline d'égoïsme très exacte. Si je n'avais pas d'égoïsme, je n'aurais pas d'œuvre; il a fallu choisir. Vous expérimenterez un jour cet égoïsme, si Dieu veut...

« Ce qu'il a fait pour moi, l'a-t-il fait par pitié? » se demandait-elle. Elle croyait qu'il l'aimait, mais ne discernait pas comment il l'aimait. Peut-être aurait-il été aussi bon, aussi dévoué pour un ami. Parfois cependant elle se disait qu'on n'est pas secourable et délicat à ce point, par seule bonté. Si elle n'avait craint de lui déplaire, elle le lui aurait demandé : n'avait-il agi que par camaraderie pure — par un sens exquis de la camaraderie, — ou s'il y avait dans tout cela un peu d'amour? Enfin, comment dire... est-ce qu'elle lui plaisait?

Mais voici que Costals, ayant aperçu l'écriteau d'un appartement à louer, et jeté un coup d'œil sur l'immeuble, dit :

— Je suis hanté depuis un temps immémorial par

l'idée fixe du déménagement. Ça vous ennuierait-il de m'accompagner pendant que je visite cet endroit? J'ai le coup de foudre pour la maison.

Un instant plus tard, le concierge les conduisait à travers l'appartement. Quelle étrange sensation, pour Andrée! Tellement pareille à s'ils avaient été un jeune ménage, ou fiancés. Un éblouissement... Ce fut plus extraordinaire encore quand le concierge lui dit :

— Tout fonctionne très bien. Si Madame veut voir... l'eau chaude...

« Madame »... Et dans ce *lavabo*... Était-il possible, était-il possible que Costals ne se rendît pas compte de ce qu'il y avait de brûlant à faire visiter ainsi à une jeune fille, et à une jeune fille dont il savait l'amour, son foyer éventuel? Était-il possible qu'il n'y mît pas une arrière-pensée? Et elle n'était donc pas si mal habillée, qu'on la prenait pour sa femme? Lui, cependant, il lui demandait conseil : ne devrait-on pas aveugler cette fenêtre? faire tomber ce mur? Machinalement elle répondait, en maîtresse de maison, mais son âme était ailleurs, emportée comme par une bourrasque dans un domaine si inattendu et si invraisemblable qu'il en était effrayant.

Elle dit, pour dire quelque chose :

— Six pièces... Est-ce que ce n'est pas un peu grand?

— Mais non. Salon, salle à manger, mon bureau, ma chambre, une chambre-débarras, et puis l'autre chambre, le « tombeau de la femme inconnue »...

— Le « tombeau »? Seriez-vous Barbe-Bleue?

— Non, « tombeau » dans un autre sens. Un double sens. La pièce où les femmes tombent. Et la pièce où tombent leurs illusions.

Était-ce possible, était-ce possible qu'il manquât de tact à ce point, si...? Elle se sentait dans un rêve, dans un abîme. En descendant l'escalier, elle avait peur de perdre l'équilibre.

Dehors, le froid la saisit. Elle frissonna. Maintenant il marchait à côté d'elle; son pardessus très long, serré à la taille, battait sur ses jambes comme une jupe (elle pensait : comme une capote d'officier allemand), au rythme de ses talons qui claquaient, avec une puissance et une majesté dont elle était saisie. Ses mains gantées se tenaient l'une l'autre, ramenées sur le ventre dans une attitude qu'elles ne quittèrent presque jamais au cours de cette rencontre, et qui aux yeux d'Andrée avait quelque chose d'hiératique. Il lui semblait qu'elle marchait au flanc d'un des rois de l'Iliade.

Il disait :

— Quel supplice que ces déménagements, ces installations! Ma famille me turlupine : « Il faut que tu te maries, pour avoir une femme qui tienne ton intérieur. » C'est moral, n'est-ce pas, cette façon de vous pousser au mariage? Se marier pour des fins sociales, familiales, pour rendre heureuse une petite, — non. Il s'agit seulement d'avoir quelqu'un pour qu'on ne vous estampe pas quand on achète la moquette. Se marier dans ces conditions-là! On n'a qu'à prendre une gouvernante, dont on peut se séparer si elle ne fait pas l'affaire. Tandis qu'une femme...

De la faute que commet en se mariant un écrivain — un vrai écrivain, qui prend son art au sérieux, — Costals était pénétré. Sur ce sujet, il était intarissable. Pendant cinq minutes, sans reprendre haleine, il déblatéra contre le mariage des écrivains, sans mesure, et, disons-le, sans bon goût. Vérités, demi-vérités et sophismes se pressaient sur ses lèvres, mêlés à d'âcres sarcasmes. Son jaillissement! Il était comme une coupe pleine à ras bords, qui continuellement déborderait, à la façon des vasques marocaines.

— Voyez quelle confiance j'ai en vous, lui dit-il pour finir. Je vous parle comme à un homme. — N'importe, presque tous ses mots avaient blessé la femme qui marchait à son côté, se pressant, faisant effort pour se mettre à son pas, transie de froid, dans les avenues sombres. Ne l'avait-il élevée au septième ciel, que pour la replonger dans le gouffre? Elle avait hasardé d'abord quelques raisons en faveur du mariage des écrivains. Ces raisons, elle était sûre de leur justesse, mais elle se sentait si gauche, au point que maintenant cela ne « sortait » plus, elle ne savait que dire, comme un pauvre potache que torture un sadique examinateur, et il connaît très bien la question, mais non, c'est le trou noir, l'émotion l'annihile, et il reste là comme un ballot. Pourtant, incapable de rejeter l'idée que la visite de l'appartement n'était pas intentionnelle, elle se mit à penser qu'il ne disait tout cela que pour exciter en elle les arguments contraires, et les entendre de sa bouche. Elle se laissait aller à ce charme, cette espèce de folie, cette rêverie insensée... Elle crut habile de ne plus exalter l'épouse, mais l'enfant.

— Oui, mais les enfants! Comment un homme tel que vous, Costals, qui est une sorte de dieu fécondateur, peut-il n'avoir pas d'enfants? Laissez-moi vous l'avouer, cela m'a toujours surprise. Cela manque à votre personnalité. Ne serait-ce que du point de vue de votre œuvre, de quelle richesse vous vous privez!

A chaque mot qu'elle disait auparavant, le dieu fécondateur répondait du tac au tac : un coup de fleuret rageur, et chaque fois elle était touchée. Pour la première fois, il ne répondit pas. Elle crut l'avoir atteint au point névralgique. Elle tourna la tête vers lui, vit son visage levé, ses yeux clairs, et il lui sembla que dans ces yeux passait une expression de tristesse, si émouvante chez cet homme trop assuré. Oh! qu'elle l'adorait quand elle le voyait affaibli!

— Votre fils, Costals! Ses petits bras autour de votre cou... Le besoin qu'il aurait de vous... Tous les messages que vous lâchez dans le vide, pour une foule d'indifférents, centrés sur un être qui serait la chair de votre chair, et que vous aimeriez... Non, vous n'êtes pas tout à fait un homme puisque vous ne connaissez pas cela. Mais je sens bien que vous en avez le regret. Non! ne le niez pas! Vous ne pouvez plus me le cacher. Les femmes ont de ces intuitions, vous savez...

Lui, comme un boxeur sonné, qui ne rend plus les coups; et toujours ses yeux dans le vide, ses yeux où Andrée croyait lire quelque chose d'un peu vaincu. Elle se sentit reprendre ses avantages, et glissa de l'enfant jusqu'à elle-même. La nuit lui donnait du courage, et de ne pas le regarder. Elle ne regardait que leurs deux ombres, l'une à côté de l'autre, qui apparaissaient, tournaient, s'évanouissaient, renaissaient, selon le jeu des réverbères. Et elle trouvait cela délicieux, au milieu de ces passants qui ne savaient rien, ne se doutaient de rien. Car elle s'imaginait toujours qu'il y avait quelque chose à « savoir ».

— Parfois je pense que, quoi que vous disiez, vous avez besoin d'être aimé, vous ne détestez pas d'être aimé, malgré tous vos blasphèmes contre l'amour. Mais quelque chose me dit que vous serez peut-être moins impitoyable. Vous vous êtes livré, Costals, à votre insu. J'ai vu votre regard de nostalgie et de tristesse quand je vous parlais de ce fils qui n'existe pas, de ce qu'il y a eu de stérile dans vos amours. Quelque chose me dit que vous avez la nostalgie d'une autre tendresse encore. Je comprends qu'on ressente de la gêne à être mal aimé. Mais moi, par exemple, est-ce que je vous aime mal? Mais moi, si mon affection ne vous est que douceur et non entrave? Ne comprenez-vous pas que c'est l'amour le plus ardent et le plus passionné qui sait le mieux renoncer et se sacrifier? Laissez-moi vous aimer... Que je n'aie plus à freiner toujours, dans la crainte de vous déplaire, à prononcer « affection » quand je pense « amour ». Qu'est-ce que je veux? Plus de chaleur, plus de vie, plus d'activité. Oh! faire pour vous des choses! des choses! Ne pas m'en aller, dans trois semaines, avec un trésor si cruellement dérisoire... Car, ce qui me suffit ici, une fois que je serai loin...

Je voudrais, par exemple, que sais-je, que vous m'appeliez par mon prénom, ou seulement : « chère amie ». — « Chère Mademoiselle », depuis quatre ans! On dirait que vous parlez à votre professeur de piano. Que vous m'écriviez davantage, un petit mot tous les quinze jours (et ce que je vous demande me paraît si peu!) Que vous me traitiez en petite fille, fût-ce en petite fille sotte et boudeuse. Que je vous voie dans des lieux plus suggestifs, plus assortis à vous, dans des jardins, à la campagne, dans des musées... Je ne sais pas précisément ce que je veux... Je ne veux plus ce qui était, ce qui est, ce que vous avez voulu qui soit. Je ne demande pas la durée, mais que, tant que cela durera, je jouisse de vous davantage, je sois plus près de vous. Et je souhaiterais encore une réponse à cette question : ma tendresse vous a-t-elle donné un peu de bonheur? Ai-je le droit de penser que je vous suis un peu nécessaire? Vous êtes-vous senti moins seul, avec cette certitude que je vous ai apportée d'être passionnément compris et aimé, aimé dans tout ce qui vous fait vous, dans votre essence la plus profonde comme dans vos particularités les plus petites, dans votre ironie, vos gamineries, vos méchancetés même, Dieu me pardonne? Si vous ne me faites pas l'affreuse réponse de Satan à Éloa, ce sera déjà pour moi le bonheur.

« Dans quels phantasmes elle vit! » pensait Costals. « La tendresse d'Andrée Hacquebaut me donnant du bonheur!... Sa rage de nier l'évidence. Et cette autre rage, bien féminine, de vouloir que je sois malheureux, pour pouvoir me consoler. Et ce serait elle qui me consolerait de mon prétendu malheur, quand c'est elle, et ses pareilles, je veux dire les femmes qui vous donnent un amour qu'on ne leur a pas demandé, quand ce sont elles qui empoisonnent en partie mon bonheur! Non, tout cela est trop bouffon. En même temps, cela est respectable, pitoyable. Comment me tirer de là sans lui faire de mal? » La pensée du mal qu'il pouvait lui faire, en lui disant simplement — par une seule phrase — *ce qui était*, le paralysait, comme un homme qui s'amuse à boxer avec un enfant, et n'ose remuer quasiment, crainte de le blesser. « Oh! qu'elle est embêtante, cette fille! Dans quels draps me suis-je fourré en lui donnant ce rendez-vous! »

Il l'entraînait toujours, de son grand pas. L'une après l'autre, depuis vingt minutes, ils enfilaient des rues sombres et presque désertes (rues Christophe-Colomb, Georges-Bizet, Magellan, etc.). Ces rues d'immeubles bourgeois et d'hôtels particuliers, ayant très peu de magasins, étaient plongées aux trois quarts dans les ténèbres. Rares étaient les passants, courbés par le froid; des autos de maître stationnaient le long du trottoir. Andrée se demandait pourquoi Costals ne l'emmenait pas dans un thé ou dans un café, comme n'importe quel homme l'eût fait à sa place. Mais non, marche! marche! (Costals avait bien pensé à aller dans un café. Mais l'autre jour, au restaurant, Andrée s'était prise dans la porte à soufflets, ne pouvant plus entrer ni sortir, les garçons avaient ri; et elle était si moche, si mal ficelée; disons-le, il avait un peu honte d'elle. Et il préférait lui faire attraper une pneumonie, à subir par son fait une piqûre de vanité.) Chaque rue qu'ils prenaient paraissait à la jeune fille plus obscure encore que les précédentes, et, bien qu'elle se raidît d'abord contre ce coin de ciel entrevu au milieu de ses nuages intérieurs, elle finit par croire que Costals, dans cette marche de Juif errant, ne faisait que chercher un endroit propice pour l'embrasser; si la randonnée se prolongeait, c'était qu'il n'osait pas se décider, preuve qu'il l'aimait vraiment. Quand ils abordèrent la rue Keppler, particulièrement noire et déserte, elle ne douta pas que ce ne fût là que s'accomplît son destin. Jamais elle n'oubliera certains détails : ce chien griffon assis auprès du chauffeur, dans une limousine arrêtée, et qui la regarde avec une insistance humaine... cette lanterne sur un tas de pavés, émouvante comme une lampe de sanctuaire... Mais ils quittèrent la rue insidieuse sans que rien se fût passé. Costals disait alors :

— Je vous ai écoutée avec grand intérêt. Vos paroles me touchent beaucoup. Pourtant, je vous ai déjà répondu. Notre amitié était une chose extrêmement bien. Mais le cœur infecte tout. Sur le plan de l'amitié, ou sur le plan de la sensualité, les choses sont saines, les plaies, s'il s'en forme, sont nettes. Arrive le cœur, et la plaie gagne, tout se prend. Combien de fois ai-je remarqué cela!

— Ce que vous dites est absurde. Le cœur n'infecte rien; au contraire, il purifie tout. C'est trop idiot, à la fin! Et ce serait le « plan de la sensualité » qui serait pur! Je vous apporterais une grande passion physique, vous me la pardonneriez. Être provocante, vous faire comprendre que je cherche seulement le plaisir, vous me mépriseriez peut-être, mais vous accepteriez. Mais vous offrir de l'amour, quelle gêne, quel ennui! Si on nous fichait un peu la paix avec l'amour! Vous offrir mon amour comme l'aventure même de ma vie, de la vie d'une jeune fille intacte, et (je n'y suis pour rien) un peu supérieure, que cela est fade et ridicule! Vous n'aimez pas mon amour. Vous ne voulez pas *tout* de moi, vous n'en voulez qu'un peu. Et moi je ne peux pas ne vous donner qu'un peu. Vous m'avez traitée en sœur. Comme un sultan tire de la foule sa favorite ou son vizir, vous m'avez fait auprès de vous une place privilégiée, et vous voulez que j'y reste sagement sans élever la voix, me contentant de ce que vous me donnez, avec une générosité adorable, mais qui ne peut plus me suffire. N'avoir droit qu'à des amitiés! Belles, merveilleuses même — la vôtre, — douces, consolantes, touchantes, fraternelles,

— insuffisantes pourtant, insuffisantes! Durer auprès de vous par l'amitié, je ne le puis pas, même je n'y tiens pas. Il y a en moi quelque chose de bondissant qui dépasse trop tout cela. Ah! qui dépasse tellement tout cela! Tant de forces bonnes à rien, utiles à rien... Le désir du don déborde en moi. Je demande tout, et par « tout » je n'entends pas nécessairement que vous sortiez de ce désintéressement que vous pratiquez si bien. (« Ah! pensa-t-il, une pointe d'aigreur! Voilà donc une petite souris qui ne demande qu'à être dévorée. A cela aussi il fallait s'attendre. ») Non, je suis sincère quand je vous répète — je vous l'ai dit bien des fois — que vous n'avez jamais touché en moi la source de l'émotion intime, ou que vous ne l'avez touchée que de façon fugitive, dans les heures de votre gentillesse et de votre douceur. Ce que je demande, c'est le droit de vous aimer, de vous chérir de toutes mes forces, de tout mon élan. Votre froideur a toujours contenu cela. Je ne puis pas vous aimer si vous ne le voulez pas.

— Faut-il vous laisser de gaieté de cœur me donner un amour auquel je ne sais pas répondre? Que voulez-vous, j'ai usé mes sentiments. J'ai tout donné dans un premier amour, à seize ans. Dès dix-sept ans je vous aurais répondu comme aujourd'hui : « Amitié, oui. Amour, extases, tout le fourbi : trop tard. »

— Trop tard! Toujours ces mêmes mots qui me guillotinent : trop tard! Allons, ma vie est fichue.

Il eut pitié d'elle. Il lui dit, gravement :

— Quand j'avais dix-huit ans, et que je commençais d'aller dans le monde, je me mis tout de suite à flirter beaucoup, et je me rappelle qu'alors ma mère me dit : « Il ne faut pas allumer les jeunes filles, quand on n'a pas sur elles des vues sérieuses. Ce n'est pas honnête. » Je suis en train de me demander si je n'ai pas eu des torts envers vous.

— Vous n'avez aucun tort envers moi, grand Dieu, aucun tort volontaire. Vous êtes l'homme le plus loyal...

— Moi, loyal!... Je mens toujours.

Il battit des paupières. Pourquoi ce cri lui avait-il échappé? Il sentit une violente rougeur lui monter aux joues, et baissa la tête.

— Bien sûr, vous mentez quelquefois, comme tout le monde. N'empêche que vous êtes l'être le plus loyal, le plus noble qui soit.

— Toujours ma noblesse! Vous allez faire qu'un beau jour je vais me prendre en grippe, à force de vous entendre parler de ma noblesse, et ce serait bien ennuyeux, que je me prenne en grippe. Je vais vous dire comme à ce domestique italien qui avait été au service de je ne sais quel prince, et qui, dans les premiers temps qu'il était au mien, me donnait à chaque mot du « Votre Honneur » : « Si Votre Honneur veut bien... Je crois que Votre Honneur ferait mieux... » A la fin, impatienté, je lui dis : « Ne me parlez donc pas toujours de mon honneur. Vous finiriez par le faire venir. »

— Que vous êtes insupportable! Toujours à plaisanter aux moments pathétiques... Eh bien, que vous le vouliez ou non, je vous répéterai : vous êtes un homme parfaitement loyal. Mais vous êtes responsable, à mon égard, d'une certaine imprudence. Il ne fallait pas me laisser aller jusqu'au point où j'en suis.

Il eut sur les lèvres de lui répondre : « Ne vous ai-je pas donné assez de preuves de mon indifférence? » mais n'en trouva pas le courage. Il dit :

— L'amitié n'est donc pas possible entre un homme jeune et une jeune femme?

— Si, l'espèce d'impuissance qu'est cette amitié doit être possible dans certains cas. Par exemple, avec une très jeune fille. Quand j'avais dix-huit ans, je n'aurais rien désiré de plus que ce qui est; une amitié masculine, et avec vous, c'eût été pour moi le rêve. Mais la femme que je suis, dont vous n'avez jamais ignoré l'âge, la solitude, le trouble, la détresse, le besoin d'amour, ayant en vous cet ami magnifique, comment voulez-vous qu'elle ne soit pas menée à l'aimer? Je vous ai offert mon amour. Vous l'avez repoussé. Mais, quand je vous ai annoncé que je venais à Paris, loin de me signifier que vous ne vouliez pas me revoir, comme vous auriez dû le faire (« Voilà ma récompense! » pensa Costals), vous m'avez invitée à dîner. Vous m'avez encouragée à penser à vous, vous m'avez montré que je ne vous déplaisais pas. (« Celle-là, elle est raide! ») Vous avez fait tout ce qu'on pouvait faire pour que je m'attache à vous de tout mon cœur. Car, tout en vous refusant, vous vous offrez, cher Monsieur. Et c'est cela que vous ne voulez pas voir. Se laisser aimer, c'est aimer déjà. Vous avez tort de croire qu'on ne peut s'offrir que par des promesses ou des caresses. Vous vous êtes offert sans promesses et sans caresses, mais tout aussi sûrement, dans votre légèreté pleine de bonne foi... Savez-vous votre tort, mon ami? C'est de ne pas pouvoir être méchant avec moi.

— Eh! mais nous sommes profonde! Enfin, c'est cela, je suis « trop gentil »?

— Oui, vous êtes « trop gentil ». A l'avenir, dans vos relations avec les femmes, ne soyez pas « trop gentil », Costals. Par pitié pour elles. Et puis, gravez dans votre tête cet axiome : « Pas d'amitié avec les jeunes filles. » Parce que chacune d'elles croira que vous la préférez. Et parce que vous, inconsciemment, vous donneriez à chacune d'elles l'impression que vous la préférez. Même quand vous ne cherchez pas à séduire, vous agissez en séducteur. Quitte à être étonné et furieux, de bonne foi, ensuite, quand le mal est fait; il y a en vous une absence de fatuité tellement extraordinaire! C'est elle, peut-être, qui trouble tout.

— Je ne peux quand même pas méconnaître qu'il y a des milliers d'hommes aussi intelligents que moi, et beaucoup mieux de leur personne. Cherchez, et vous en trouverez sûrement un qui vous rendra ce que vous lui donnez, et en vous faisant bonne mesure.

— Vous êtes exaspérant! On voudrait vous prendre à bras-le-corps et vous secouer. Quand je me tue à vous répéter qu'une femme n'aime qu'une fois, et que pour moi vous êtes cette fois; que vous m'êtes irremplaçable. Vous ne voulez pas voir la réalité : que ma vraie vie est mon amour pour vous.

— De nous deux, je ne sais lequel ne veut pas voir la réalité, dit-il doucement.

— Et puis, l'aimable réponse : « Cherchez donc ailleurs », à une femme qui vous dit : « Je vous aime plus que ma vie. Ou plutôt vous êtes ma vie même, c'est bien simple. »

— Vous avez de la chance de trouver ça simple. Moi, je trouve que nous sommes en plein jus : de la vraie bouillie pour les chats.

— Vous parlez de l'amour comme un gamin. Vous devriez avoir honte de vos enfantillages dans un tel sujet.

— Un homme sans enfantillages est un monstre.

— Et vous, vous êtes un monstre, par trop d'enfantillages.

Sa voix était pleine de larmes. Costals reprit, d'un ton plus affable :

— C'est vous qui êtes absurde, ma pauvre fille, de me donner le pouvoir de vous faire souffrir. Savez-vous comment je vous souhaiterais? Telle que je puisse vous dire tout ce qu'il y a de plus cruel et de plus blessant, sans que vous en ressentiez la moindre peine.

Elle haussa les épaules, pour toute réponse. Elle ajouta cependant :

— « Ma pauvre fille. » Attention! Ne recommencez pas à être « trop gentil ».

— Ah! eh bien, vous m'embêtez, à la fin! Si je suis brusque, ce n'est pas ça. Si je suis gentil, ce n'est pas ça. Je commence à en avoir plein le dos, de ce margouillis pour les chats. Après tout, qu'est-ce que je fais ici?

Le casse-tête sentimental que les femmes cherchent à imposer à tout homme qui les approche, Costals n'y avait jamais participé beaucoup, même avec celles qu'il aimait. Et il aurait fallu qu'avec cette femme qui lui était indifférente!...

Mais c'en était trop pour Andrée. Les larmes lui jaillirent des yeux.

— Voyons, ma chère, voyons! calmez-vous! Si les femmes savaient tout ce qu'elles perdent avec leurs pleurnicheries! Il faut qu'un homme soit un saint pour, les voyant blessées, ne pas avoir envie de les blesser davantage. Mais je suis ce saint. Bien que... Une femme doit sans cesse être éclairée (je veux dire : il faut qu'on soit toujours à lui expliquer quelque chose), éclairée, ménagée, consolée, dorlotée, apaisée. Je n'ai pas, à vrai dire, cette vocation de garde-malade, ou de manutentionnaire en caisses de porcelaine. J'aime que les choses du cœur se fassent un peu rondement, qu'on ne s'y étale pas, qu'on n'en remette pas, qu'il y ait autre chose dans la vie. Je crois que, plus on aime vraiment, moins on le dit. — Sacrée fille, vous voulez donc vous faire tuer!... (Il l'avait saisie par le bras. En traversant, dans son désarroi, elle s'était laissé frôler par une auto, de façon assez effrayante.) Eh bien! vous en avez de la chance, que je ne vous aie pas poussée dessous! C'est une espèce de réflexe que j'ai avec les femmes, quand une auto nous frôle, de les pousser dessous. Et avec celles que j'aime le plus. Cependant, jusqu'à présent, j'ai toujours résisté à ce réflexe. Et vous, voyez-vous ça, j'ai eu le réflexe de vous protéger. Et vous vous plaignez!

— Mais non, Costals, je ne me plains pas. Je sais que vous m'aimez bien. Par moments, je vous sens comme un bon génie paternel, et je sens que ç'aurait été si bon d'être créée, recréée en plein par vous.

Vous ai-je fait des reproches? Si oui, oubliez-les. Je ne sais quelles bêtises j'ai pu dire... Je ne suis pas moi-même aujourd'hui... Je ne veux de vous à moi aucune obligation. Même si un destin miraculeux me créait un jour des droits sur vous, je ne voudrais entre nous d'autre lien que votre tendresse, et jamais votre pitié ni votre charité, comme pour la vendeuse de fleurs...

« Elle ne veut pas, précisément, cela seul que je puis lui donner, pensait Costals. Et qu'est-ce que ce " destin miraculeux qui lui créerait des droits sur moi "? Quelle nouvelle chimère a-t-elle enfourchée? »

C'était peut-être la troisième ou la quatrième fois qu'ils faisaient le tour du square des États-Unis, marqué par le pas léger des comtesses, ponctué de statues de Libérateurs, de statues de Bienfaiteurs et de statues d'Enthousiastes. Les feuilles des fusains luisaient au milieu de la noirceur nocturne, comme si les valets de chambre astiquaient, chaque matin, le fourré opposé à la maison de leurs nobles maîtres. Les fenêtres aux volets clos évoquaient des compartiments de coffres, vus de l'extérieur, dans une caverne de banque. Quelques humbles avaient l'air, dans ce décor grand-bourgeois, de prisonniers de guerre travaillant pour l'ennemi : des livreurs de charbon, tout noirs, qu'on payait pour les défigurer; un petit garçon boucher, apportant la viande des comtesses, et qui se laissait glisser en contrebas dans une minuscule porte de service, comme un chat dans une chatière. C'était Costals qui voyait tout cela, parce qu'il avait l'esprit libre. Andrée, elle, n'en voyait rien. De tout temps, les romanciers ont fait des phrases sur le décor où se rencontrent leurs amoureux; mais il n'y a qu'eux, romanciers, qui voient les détails de ce décor; les amoureux n'en voient rien, engloutis qu'ils sont dans la bouillie pour les chats.

Andrée, du square des États-Unis, ne retenait que l'obscurité de ces berceaux de verdure, les allées

84

solitaires qui s'y perdaient, ce recoin presque suspect, avec ses bancs (juste derrière la statue de l'En-
thousiaste), et ses folles idées revenaient : se trouver
au cœur de ces bosquets, en pleine nuit, avec cet
homme, qu'il l'embrassât ou non, qu'importait : ce
n'était pas au hasard qu'il l'avait menée là. Et il
l'avait appelée : « Ma chère. » Disait-on « ma chère »
à une indifférente, à une femme avec laquelle on
n'avait pas une certaine intimité? Peut-être qu'oui,
après tout (quand on vit à Saint-Léonard, on finit
par ne plus savoir ce qui se fait et ne se fait pas). Et
il l'avait prise par le bras, « Sacrée fille! ». Pour la
première fois, il l'avait *touchée*. (A cet instant elle
avait levé les yeux, cherchant si elle ne verrait pas
la plaque avec le nom de la rue, afin que, toute sa
vie, ce souvenir fût lié à un endroit précis.) Elle se
prenait à croire qu'il lui avait longuement tenu le
bras, en le serrant de façon significative et qu'on ne
disait pas : « Sacrée fille! » sans y mettre de la tendresse. Toute sa clairvoyance de tantôt — « Vous
donnez à chacune d'elles l'impression que vous la
préférez » — s'obscurcissait, comme un ciel qui se
bouche. Passionnément, elle souhaitait qu'il lui prît
le bras ou qu'elle osât prendre le sien. Mais ils s'éloignèrent de la place aux fourrés sombres, et son espérance retomba. Où l'emmenait-il encore? Allaient-
ils recommencer leur course affreuse à travers ces rues
où il n'y avait que des pharmaciens et des fleuristes?
(Un symbole, peut-être, de la classe dirigeante.
Note de l'auteur.) Elle s'était bien, une fois, plainte
du froid, mais il avait répondu avec un air enga-
geant : « Un petit froid sec... C'est très sain! »

— Il faudrait quand même, dit-il, que nous ame-
nions au clair cette question de l'amitié entre homme
et femme.

— Mais non, laissons tout cela, ce n'est pas la peine...

— Ainsi donc, voici une jeune fille intelligente,
fine — fine à ses heures, — cultivée, qui s'est faite

85

toute seule, qui connaît mon œuvre mieux que moi-même, et qui la connaît avec intelligence; enfin une fille méritante, je donne son grand sens à ce mot. Elle végète à Saint-Léonard (Loiret), c'est-à-dire dans un bled innommable...

— Pardon, dit-elle, souriant, Saint-Léonard (Loiret) a 3 180 habitants. Importantes filatures. Patrie du grand agronome Léveilley...

Elle essayait maintenant de se mettre à son ton, se sentait maintenant ridicule d'être femme, trouvait que c'était lui qui avait raison d'être un grand garçon bien portant et joueur, fait pour les camaraderies garçonnières ou les aventures faciles, et dont tout le tort était d'être trop de plain-pied, de ne pas *se croire* suffisamment.

— Cette jeune fille si intéressante, je lui donne une sympathie dont elle est digne. Elle en paraît très heureuse. Elle me répète sur tous les tons, pendant des années, que je l'ai sauvée, que « je ne lui ai donné que des joies ». (« Vous voyez, moi aussi je sais vos lettres par cœur », glissa-t-il, s'abandonnant de nouveau à son démon d'imprudence.) Un beau jour, je m'aperçois qu'elle va m'aimer, et que je ne pourrai pas répondre à son amour dans des proportions décentes, parce que je ne suis pas un homme d'amour, mais un homme de plaisir. (Oui, que voulez-vous, j'aime le plaisir. Et il me le rend bien.) Alors, je prends ma plus belle plume et je lui écris : « Chère Mademoiselle, j'ai le regret de m'être aperçu que vous alliez vous mettre à m'aimer. Ne vous défendez pas : j'ai vu ça, de mon œil de lynx; suis-je, oui ou non, notre *éminent psychologue*? Aussi, à partir d'aujourd'hui, serviteur. Je ne vous écrirai plus. Je renverrai vos lettres sans les décacheter. Quand vous viendrez à Paris, " Monsieur est absent. " Je vous ai ouvert la porte sur la lumière; je la referme. Je vous ai tirée hors de la patrie du grand agronome Léveilley; je vous y renfonce. Adieu, chère Mademoiselle. Portez-vous bien. » Je vous demande de réfléchir un peu, de sang-froid, à ce que vous auriez pensé, si vous aviez reçu cette lettre. Vous ne répondez pas? Eh bien, vous auriez pensé : « C'est un cochon. Elle était belle, son amitié pour moi, qu'il peut briser en un instant! Et quel fat! Il croit que toutes les femmes veulent se jeter à son cou. Voilà bien les hommes. On leur parle amitié : ils comprennent sexe. Ensuite, ils nous reprochent de ne penser qu'à ça. » La souffrance que vous avez aujourd'hui, vous l'auriez eue alors, et à juste raison. Pourquoi ne vous ai-je pas écrit cette lettre? Parce que je ne tenais pas à perdre votre amitié, parce que je savais que la mienne vous était un secours, et parce que je me serais fait horreur à vous donner ce coup de poignard. Alors, ai-je mal agi en ne rompant pas avec vous?

— Non, non, je sais bien que vous êtes bon.

— Vous aurez un gage toutes les fois que vous me parlerez de ma bonté.

— Oh! vous êtes trop méchant! dit-elle, riant à demi.

C'était vrai, elle ne savait plus s'il était bon ou méchant. Maintenant elle trouvait plutôt que c'était elle qui avait tort. Mais elle ne savait plus bien, les choses se brouillaient dans sa tête; ce qu'elle aurait voulu, c'était être à l'hôtel, seule avec elle-même, à laisser se décanter tout le bonheur et toute la douleur qu'il avait versés en elle, pour voir ce qui surnagerait, de la douleur ou du bonheur. Ce qu'elle aurait voulu par-dessus tout, c'était n'avoir plus froid. Cependant, à l'hôtel, elle aurait froid encore. Elle se répétait un mot de Costals : « Le froid est une maladie de la planète », et surtout cette parole de sainte Thérèse de Lisieux, parole en apparence si ordinaire, pathétique en réalité : « Vous ne savez pas ce que c'est, d'avoir eu froid pendant sept ans. » Elle était harassée (il y avait deux heures qu'ils marchaient) et cette fatigue lui barbouillait le cerveau, ses paupières lui faisaient mal, elle sentait venir la migraine et se disait : « Ce que ça va être, ce soir! » Mais cette présence qu'à Saint-Léonard elle appelait pendant des mois et des mois, non, jamais ce ne serait elle qui la ferait cesser. Elle s'effondrerait sur le trottoir, rompue, plutôt que de donner le signal du « Au revoir, chère Mademoiselle. Je vous ferai signe un de ces jours ».

Avenue Marceau, le vent du Nord débouchait par chaque rue transversale, avec une emphase stupide. Au haut de l'avenue Pierre-Ier, les Champs-Élysées, là-bas, étaient une vallée de lumières. Elle souhaitait sans mesure qu'il eût l'idée d'y descendre. Elle se réchaufferait à ces lumières, à ces humains, à ce bruit, à ce mouvement, à ce luxe; ils entreraient dans un café où ils écouteraient de la musique; elle lui montrerait un magasin où il y avait des « ensembles » pour 390 francs, incroyables, à croire qu'ils sortaient de chez le grand couturier... mais non, impossible, ce serait peut-être avoir l'air de demander... Soudain, pour la première fois, elle observa qu'il n'avait pas songé à lui offrir un bouquet de quelques francs, chez un des nombreux fleuristes devant lesquels ils étaient passés, et bien qu'ils se fussent arrêtés à la vitrine de l'un d'eux. Non, pas même un de ces bouquets de violettes qu'il avait eu la délicate attention de lui dire qu'il achetait « pour ses bonnes amies ». D'ailleurs, il ne lui avait jamais offert quoi que ce fût, hormis des livres, — oh! pour les livres il était généreux. (« N'est-ce pas, je suis une intellectuelle!... alors!... ») Elle lutta contre l'amertume imprévue que cela lui causait, jugée par elle naïve et vulgaire. Mais Costals tournait le dos aux Champs-Élysées, à la Terre Promise, s'engageait de nouveau dans une des rues désolées, comme s'il prenait plaisir à ces ricochets de bête en cage, à cette fuite cahotique et cauchemardesque, pareille à celle de quelque damnation fabuleuse. Presque absente, les cuisses doulou-reuses de fatigue, se tamponnant une goutte à la narine (« Sûrement, j'ai le nez rouge »), mordant ses lèvres, qu'elle croyait que le froid et la peine avaient dû rendre exsangues, et avec cela l'envie pressante de satisfaire un petit besoin, elle l'entendait pérorer (« pérorer » fut le mot qui lui vint, tant elle était lasse de lui) :

— Avec votre théorie, ce magnifique royaume de l'amitié entre homme et femme serait donc terre interdite! La femme serait parquée dans le domaine « cœur-sens », incapable d'être élevée à un monde plus noble et plus subtil. Et enfin, crainte de le décevoir, l'homme devrait n'avoir plus aucun rapport de société avec celles des femmes jeunes qu'il ne destine pas à son lit, légitime ou illégitime, c'est-à-dire, malgré tout, avec l'immense majorité des femmes. Il devrait passer devant elles en fuyant, yeux baissés, comme un séminariste : « *Noli me tangere*, Mesdames! Car vous croiriez peut-être que je vous aime. Et j'en suis à mille lieues, sans vouloir vous désobliger. » Ou comme les jeunes Kabyles. Un Kabyle m'a raconté que, dans son village, quand ils atteignaient quinze ans et n'étaient pas mariés, les garçons étaient expédiés par leurs parents à Alger, afin de n'être plus un objet de trouble pour les jeunes filles du village. Et lorsqu'ils revenaient pour quelques jours au village (à l'occasion d'un enterrement, d'un mariage, ou de la fête de l'Aïd), ils devaient, dans leurs allées et venues, prononcer à voix forte : « trec trec trec » afin que les jeunes filles, en entendant cela, se cachassent. Tant un garçon était pour elles une tentation. Désormais, moi aussi, je dirai « trec trec trec... », pour que les jeunes filles se garent. Ou plutôt j'aurai une crécelle, comme les lépreux...

Il eut encore un mot assez pénible : « Les jeunes filles sont comme ces chiens abandonnés, que vous ne pouvez regarder avec un peu de bienveillance sans qu'ils croient que vous les appelez, que vous allez les recueillir, et sans qu'ils vous mettent en frétillant les pattes sur le pantalon. »

Il broda là-dessus. Comme toujours lorsqu'il se trouvait avec des indifférents, ou lorsqu'il leur écrivait, il disait un peu tout ce qui lui passait par la tête (jamais, dans leurs relations, Andrée n'avait été consciente de cette particularité). De même que les matadors tiennent pour inexistant tout ce qui leur advient dans d'autres plazas que celles d'Espagne, succès aussi bien que déboires, de même Costals, écrivain-né, ne surveillait vraiment qu'un seul de ses modes d'expression : le livre. Conversation, correspondance, c'était là le domaine de son laisser-aller, de sa détente; il y disait quasiment n'importe quoi; cela ne comptait pas à ses yeux.

Tout à coup, il s'arrêta net.

— Vous comprenez ce que je vous dis?

— Bien sûr!

— Moi je n'y comprends rien. Depuis un moment déjà, ça n'a plus aucun sens, ce sont de pures phrases. Si vous ne sentez pas cela, à quoi bon vous parler? Bref, conclut-il, puisque selon vous mon devoir était de rompre et que je n'ai que trop tardé, c'est facile... Je ne puis pas vous donner ce que vous attendez de moi. Cessons donc de nous connaître.

— Non! non! s'écria-t-elle, jaillissant du fond de sa torpeur, maintenant vous n'avez plus le droit de m'abandonner. Mais ce n'est pas sérieux, n'est-ce pas?

« Plus le droit! pensa-t-il. Allons, je l'ai toujours dit : ce qu'il y a de difficile dans la charité, c'est qu'il faut continuer. »

Comme si elle avait eu conscience de ce qu'il pensait, elle poursuivait :

— Aimer engage, faire du bien engage. On n'a pas le droit d'aimer les gens de la même façon qu'on fait la charité, anonymement, sans vouloir entrer dans leur vie...

— Restons donc où nous en sommes. Seulement,

désormais, ne vous plaignez plus de cette situation. C'est vous qui la créez.

— Je ne me plaindrai plus de rien, je vous en fais la promesse solennelle. Je ne veux plus qu'une chose : ne pas vous perdre. La clef de tout ça, savez-vous ce que c'est? dit-elle à brûle-pourpoint. C'est que vous êtes un homme qui a toujours plaqué, et n'a jamais été plaqué. Cela se sent.

— C'est pas vrai. J'ai été plaqué deux fois. Et vachement.

— Et... ça vous a fait de la peine?

— Non. J'ai trouvé ça tout naturel. Qu'y a-t-il de plus légitime que d'avoir assez de quelqu'un? Je l'ai trop éprouvé moi-même pour ne pas le comprendre chez les autres. Quand je vois une femme avec qui j'ai eu des mois d'intimité et qui du jour au lendemain me fait tomber de son existence, n'a plus d'autre désir que de n'avoir rien de commun avec moi, je me reconnais.

Elle resta muette, comme abasourdie. Mais lui :

— Diable! Il faut que je vous quitte. Il est moins dix, et je dîne à huit heures chez des gens.

— Est-ce que nous nous reverrons? demanda-t-elle, incapable de parler plus longtemps, de dire autre chose que des formules banales, vraiment à bout.

— Mais oui, je vous ferai signe.

— Ne restez pas trop longtemps... Si je vous écris, vous ne répondrez peut-être pas. Dire que vous n'avez jamais voulu me donner votre numéro de téléphone!

— Je croyais que vous deviez ne plus vous plaindre.

— Pardon!

— Je vous aurais dit mon numéro de téléphone, ce serait kif-kif, parce que l'interrupteur est mis à perpétuité : le silence de ces espaces infinis me rassure. Et savez-vous qui m'a forcé à cette mesure, vexante pour les amis ou les gens d'affaires qui ont à me parler, et gênante pour moi, qui risque de manquer ainsi certaines choses qui pourraient m'être importantes? Les femmes, uniquement les femmes. Les femmes, en général, avec leurs téléphonages quotidiens ou bi-quotidiens, d'un quart d'heure chaque, toujours pour ne rien dire. Et une catégorie particulière de femmes, redoutables entre toutes : celles qui m'aiment, et que je n'aime pas. Le résultat : je reçois trois pneus de femmes par jour, toujours pour ne rien dire, bien entendu. Et il n'y a rien de plus exaspérant que d'être assassiné de lettres de gens qu'on n'aime pas, quand on attend à chaque courrier la lettre de quelqu'un qu'on aime. Allons, chère Mademoiselle, au revoir, et ne prenez pas froid.

Il lui avait parlé sur un ton qui l'avait glacée au point qu'elle se demanda si elle n'allait pas défaillir. Elle lui tendit la main, machinalement. Elle ne réagissait plus.

Elle s'éloigna. Il l'appela.

— Heep!

Elle s'arrêta. Il s'était rapproché d'elle. Des ondes alternées d'honnêteté et de rouerie, de gravité et de rigolade passaient sur son visage, sans arrêt. Et c'était vrai qu'il se sentait plus mobile qu'elle, pareil à un chien canaille qui fait des sauts autour d'une brebis, avec un goût merveilleux pour l'asticoter.

— Est-ce que je suis un cochon?

— Je ne sais pas. Laissez-moi... Laissez-moi...

— Au revoir.

Il s'en fut, et, après quelques pas, alluma une cigarette. Il se sentait rajeuni de dix ans, depuis qu'elle n'était plus là. Une femme qui s'en allait, le laissait seul, c'était dix ans de regagnés, s'il ne l'aimait pas. Un ou deux ans, s'il l'aimait.

Andrée ne dormit pas un instant. Dans le lit, elle se tournait à droite, et sa tristesse tombait à droite, à gauche, et sa tristesse tombait à gauche, comme une boule qu'elle aurait eue à l'intérieur du corps. Elle éprouvait le besoin de changer de place ses jambes, toujours endolories par la galopade forcenée de la veille. Le drap, trop étroit, ajoutait à sa misère : elle se découvrait sans cesse, et sentait (ou croyait) qu'elle prenait froid. Le matin, elle pleura de sept heures à sept heures vingt-cinq. Il avait eu, à la fois, tant de douceur et tant de cruauté! A tout prix, il fallait savoir « où il en était » à son égard. Elle lui envoya un pneumatique, lui disant qu'elle avait pleuré de six à huit, et le « conjurant » de lui téléphoner, à midi, à l'hôtel. Ayant payé le pneu d'une pièce de quarante sous, elle laissa la monnaie à l'employé de la poste, qui murmura quelques mots goguenards sur les femmes abandonnées.

Costals ne téléphona pas. Le pneu l'avait ulcéré. La seule vue de l'écriture d'Andrée l'exaspérait. « Elle ne m'est rien, je ne lui dois rien, je me suis occupé d'elle cinquante fois, coup sur coup je l'invite à dîner et je lui consacre deux heures et demie de ma vie, — oui, deux heures et demie! — je me creuse le cerveau pour sortir sans la blesser de la situation ridicule où elle m'a mis. Et maintenant elle me relance par des pneus! des pneus à larmes! Il faudrait que je la voie trois heures de suite tous les deux jours! Eh bien, cette fois, non. » A midi, il envoya un pneumatique : il devait partir pour Besançon, auprès d'un oncle malade. Il lui écrirait à son retour.

L'attente d'Andrée, dans cette chambre, au sixième de cet hôtel misérable (elle avait demandé les prix dans six hôtels, avant de s'arrêter à celui-ci), où la bise passait par les jointures des fenêtres, où la table de nuit empestait, où elle avait trouvé de vieux morceaux d'ouate maculés dans un tiroir. Assise sur l'unique chaise près d'un maigre feu de bois, son manteau sur les épaules, jamais elle n'aurait cru pouvoir éprouver une telle angoisse dans la détresse. Savoir ce qu'il pensait, mon Dieu! Elle devinait bien qu'elle l'avait irrité en envoyant ce pneu; pourtant il lui aurait été impossible de ne pas le faire. Son esprit, comme une balance faussée, de minute en minute tombait d'un côté, puis de l'autre. Tantôt c'était : « Ce froid atroce, dans ces avenues lugubres, à marcher, marcher comme des damnés », et toutes les paroles de cet homme, comme des couteaux remués dans une plaie. Tantôt, au contraire, majorant, inventant au besoin de toutes pièces : « Ces minutes qui seront les seules minutes de bonheur de ma vie. Même dans son badinage, il était si bon, si tendrement grave, peut-être à son insu. Il souffrait de n'avoir pas d'enfant, il se confiait, il semblait désirer qu'on le plaignît. Combien il était touchant quand il me parlait de sa mère! A-t-il jamais parlé de sa mère à une autre femme? » De même qu'elle pensait que Costals s'était confié, alors qu'il n'avait rien fait d'autre que parler pour lui seul, ni plus ni moins que lorsqu'il se prostituait à cinquante mille lecteurs, de même, comme elle avait tenu sa main un peu longuement tandis qu'ils se serraient la main en s'abordant, elle s'imaginait de bonne foi que c'était lui qui longuement lui avait tenu la main. Elle croyait entendre claquer sur l'asphalte « son pas d'officier allemand »; elle croyait le voir qui l'écoutait, avec, sur ses lèvres, « l'imperceptible sourire des dieux ». L'idée qu'il avait envisagé un mariage avec elle, fût-ce par un écart d'imagination, lui paraissait moins vraisemblable que la veille, et cependant : « Je me sais indigne d'un pareil sort; je sais tout ce qui nous sépare, quand ce ne serait que du point de vue social; je ne suis ni romanesque ni folle. Il faut donc bien qu'il y ait eu quelque chose pour que cette éventualité, dont jamais, au grand jamais je n'avais rêvé, m'ait soudain paru plausible. » Elle en venait à désirer avec élan qu'ils marchassent de nouveau, un soir, dans ces avenues sombres, marchassent jusqu'à ce qu'elle demandât grâce, et cela même qui, la minute précédente, lui paraissait « atroce » et « lugubre », c'était à cela maintenant qu'elle accrochait tout son espoir.

À onze heures et demie, elle descendit au bureau de l'hôtel, et attendit le coup de téléphone, le regard comme bu par son bracelet-montre. Rien. À une heure elle remonta dans sa chambre, incapable de déjeuner, et attendit encore. Elle n'était à Paris que pour un mois, et elle attendait que le temps passât! À deux heures elle reçut le pneumatique de Costals, et flaira son mensonge. Elle alla avenue Henri-Martin, s'enquit d'abord auprès du concierge :

— M. Costals est à Paris?

— Oui, Mademoiselle.

Mais, à l'étage, le domestique lui dit :

— M. Costals est à Besançon.

Le lendemain matin, elle retourna avenue Henri-Martin : elle ne doutait pas qu'il ne fût là, et n'en pouvait plus de ne pas savoir. Elle avait besoin d'un verdict quelconque, fût-il terrible, pour se reposer dans une certitude, ou pour y mourir.

— M. Costals n'est pas rentré?

— Non, Mademoiselle. Nous ne savons pas quand il rentrera.

Elle partit, elle erra, sans pouvoir se résoudre à abandonner le quartier, cherchant partout Costals du regard, se repaissant de cette amertume : lui là, elle là, et les jours coulant dans une absence égale à celle de Saint-Léonard, et demain ce serait le retour à Saint-Léonard, le retour sans clarté dans un enfer de solitude et de désespérance. Cette randonnée (décidément, elle était faite pour les randonnées dans les rues!...) avait moins pour but de rencontrer Costals que d'être pour elle une sorte d'opium : inoccupée dans sa chambre d'hôtel, peut-être eût-elle eu une crise de nerfs. Elle entra dans une église dont elle ne savait pas le nom, y resta une heure, à moitié gelée, à se répéter : « Oh! non, Dieu ne peut pas faire souffrir plus qu'un homme. » Elle écrivit cette phrase sur un bout de papier qu'elle trouva dans son sac, acheta une enveloppe d'un sou, l'y glissa, et alla le porter chez le concierge de Costals.

Elle croisa pendant une heure devant la maison; ainsi, lorsqu'elle se trouvait à Paris quand Costals était en voyage, elle passait presque tous les soirs sous ses fenêtres, pour voir si elles étaient éclairées. Elle devint toute pâle en apercevant un homme qu'elle prit pour lui. Elle se trouva devant la glace d'un magasin, fut horrifiée par sa laideur : « Mon Dieu, qu'avez-vous fait de moi! Quelle est cette étrangère? » (Elle n'avait pas pensé à Dieu quand elle était dans l'église.) Elle rencontra une marchande de violettes, en acheta un bouquet, « je serai plus généreuse que lui », et, remontant dans la maison de Costals, le déposa sur le plancher du palier, contre la porte de l'appartement. Redescendue, elle comprit trop tard que son geste ne lui ferait que du tort, que le domestique découvrirait le bouquet, et se gausserait d'elle, et elle songea à venir le reprendre. Mais ce serait la cinquième fois que le concierge la verrait, en deux jours... elle n'osa pas.

A la nuit tombante, glacée, elle s'achemina vers le métro. Quelle tentation de prendre un taxi! Elle l'eût fait, pour une petite course. Mais son hôtel était si loin qu'elle en aurait au moins pour douze francs. Cette façon de s'arrêter court, au milieu des orages de son âme, pour faire des additions, c'était toute sa vie. Dans le métro, les gens la regardaient : la tristesse se voit sur vous comme un vêtement. Elle se sentait pleine de pitié, toute bonté et faiblesse et abandon; elle offrit sa place — réflexe inconscient, car elle ne voyait rien — à un vieillard resté debout. Elle changea de métro dans un état d'égarement, horrifiée par ces dédales, ces courses vers un portillon automatique qui se referme sous votre nez, ces portillons qui vous manœuvrent comme un bétail, comme si vous étiez un troupeau de porcs que sériaient des machines, dans une usine d'Amérique; et elle crut s'évanouir en descendant de la voiture : la fatigue sans nom, la tension d'esprit, la nuit blanche, et elle n'avait pas déjeuné : il lui semblait qu'elle n'était soutenue que par la force des battements de son cœur. Ses paupières étaient douloureuses. Toute son inquiétude, et son trouble, semblaient s'être concentrés dans cette douleur des globes des yeux. Au comptoir d'un bistrot, elle se fit servir un café, malgré sa peur d'être prise pour une grue. Des ouvriers étaient massés contre le comptoir. Elle dut rester derrière eux, allongeant le bras, entre deux hommes, pour saisir son verre. Mais il fallait cela : elle s'imaginait que, sans ce café, elle n'eût pu rester debout. Soudain, un des ouvriers lui sourit, et ce sourire fit tomber sa peine. Cela ne dura qu'un instant : dehors, sa peine se regonfla.

A l'hôtel, elle s'aperçut qu'on lui avait volé dans sa chambre un flacon de parfum de quarante francs; ce parfum, ces jours derniers, avait été sa seule consolation; elle le respirait quand elle était trop tourmentée. Elle apprit aussi par le garçon qu'on lui comptait sa chambre trois francs de plus par jour qu'elle n'était comptée aux autres (à cause de son air de femme chic, n'est-ce pas!...). Elle attirait les coups, comme une poule blessée que toute la basse-cour vient picoter.

Elle aurait dépensé allégrement des centaines de francs en une journée, si elle avait eu du bonheur. Malheureuse, cette sensation de l'argent dépensé — ou perdu — la rongeait, et il y avait des moments où elle se disait qu'elle allait quitter Paris, à seule fin de boucher cette fuite.

Elle pleura. Des larmes d'incertitude, c'était trop bête! Alors qu'il serait bien temps, un jour, de les pleurer dans la fin de tout. Elle en vint à s'imaginer que c'était une épreuve qu'il lui imposait, une taquinerie un peu méchante, afin de l'éblouir demain d'autant de joie qu'il lui aurait infligé de souffrance; elle lui appliquait le mot qu'on dit de M. de Chavigny dans *Un Caprice* : « Il est méchant, mais il n'est pas mauvais. » Elle finit par se tirer quelque bien de sa souffrance; cette épreuve était décisive : elle savait mieux encore, maintenant, combien elle aimait cet homme, et de quelle qualité était son amour, puisqu'elle supportait ainsi ses procédés. Car, dans ses horribles doutes sur lui, elle n'avait pas eu une minute de rancune ou de colère. Elle l'aimait autant, sans comprendre. Elle se disait aussi : « Tout ce qui peut m'arriver maintenant sera le paradis, après ces journées. » Malgré cette névralgie térébrante dans la tête, qui ne la quittait pas depuis deux jours, à laquelle tous les cachets du monde n'avaient rien fait, elle se mit en train pour lui écrire une longue lettre, griffonner, griffonner, sur le papier si calme. Mais la lampe au plafond était trop haute et trop faible, et elle dut renoncer.

Le lendemain matin, à huit heures moins un quart, Costals entendit sonner à la porte de l'appartement.

Le domestique ne descendait qu'à huit heures, et d'ailleurs avait la clef. Costals alla du lavabo à l'antichambre, la mousse de savon sur les joues. A travers la porte, il demanda :

— Qu'est-ce que c'est?

— C'est moi.

— Qui « moi »?

— Andrée.

— Andrée? Connais pas.

Il ne connaissait que trop. Mais il voulait la punir. Venir sonner à huit heures moins le quart! Et ce billet : « Dieu ne peut pas faire souffrir plus qu'un homme »! Et ces fleurs, au bas de sa porte, comme contre une pierre tombale! De quoi le couvrir de ridicule aux yeux de tous les locataires! Il les avait jetées aux ordures, immédiatement, après les avoir froissées avec rage.

— Andrée Hacquebaut.

— Impossible de vous ouvrir. Je suis rentré hier soir. Mais je ne suis pas rasé.

— Qu'est-ce que ça peut faire! Ouvrez-moi, je vous en prie.

— Il faut dire : « Pour l'amour de Dieu. »

— Pour l'amour de Dieu!

— Je vous ouvrirais bien. Seulement, je suis tout nu.

— Vous refusez de me recevoir?

— En ce moment, oui.

— C'est votre dernier mot?

— N'insistez pas.

— Ça va. Je prendrai le train de 8 h. 56 pour Saint-Léonard. Vous n'aurez plus rien à craindre de moi.

— Mais non! Mais non! Je vous téléphonerai à midi.

— Oui, comme l'autre jour! Adieu!

Les pas s'éloignèrent. Après un instant, il entrebâilla la porte. Il se demandait s'il n'allait pas la voir, là, tapie dans l'escalier. Non, personne. Mais, devant la porte, les traces fraîches de ses souliers mouillés, dans tous les sens, comme celles d'une bête traquée qui aurait piétiné à cet endroit.

A onze heures, avec un soupir, il téléphona à l'hôtel. On lui dit qu'elle était partie, en réglant sa note.

Il en eut d'abord un profond soulagement. Puis du remords. Elle qui avait compté passer un mois à Paris, qui devait s'en faire une telle fête! Ce romancier avait trop l'habitude professionnelle de se mettre dans la peau des gens, pour ne pas réaliser combien elle avait dû souffrir, et il en était affecté. Il lui écrivit :

Chère Mademoiselle,

Votre brusque départ est pour moi une énigme. Je ne puis croire un instant que ce soit parce que je ne vous ai pas reçue à sept heures et demie du matin. Ma mère, un jour, me fit consigner sa porte. J'étais sensible, je m'émeus, en quoi l'ai-je mécontentée? Quand ma mère rentre le soir, elle me reçoit, m'embrasse, rien n'est changé dans ses façons avec moi, mais elle se refuse à me donner la raison de cette porte close du matin. Des années plus tard, elle me l'avoua : sa poudre de riz était épuisée, et elle ne voulait pas me recevoir sans être poudrée. Et j'avais quatorze ans! Quand elle fut pour mourir, elle ordonna qu'on ne me laissât entrer dans sa chambre, elle morte, qu'après lui avoir mis la mentonnière. Eh bien! je suis son fils. Vous m'accusez de n'être pas assez fat : pourtant, sur certains points, je manque terriblement de simplicité. Ce matin, vous auriez été en flammes sur le palier, à cause de quelque explosion de réchaud, ou de je ne sais quoi, que je crois que je n'aurais pas été à votre secours, parce que je n'étais pas rasé. Notez bien que le fait que je fusse nu n'était pour rien dans l'affaire. Vous savez sans doute comment est fait un homme : vous avez bien dû voir des statues. Et d'ailleurs j'étais habillé.

Votre absurde départ me prive du plaisir de vous emmener à l'exposition Claude Monet, comme je l'avais projeté. Je m'en faisais une vraie joie.

Cordialement vôtre.

Combien Andrée, dans cette lettre, le retrouva pareil à ce qu'il était! Gentillesses, plaisanteries, et même cette pointe d'inconvenance, dont elle souriait sans en être troublée. Et toujours ses allusions à sa mère, si émouvantes pour elle... Mais elle ne regrettait pas d'être revenue à Saint-Léonard. Elle pressentait que, si elle fût restée à Paris, il eût continué à la faire souffrir. Tandis que cette lettre était bonne, elle dénouait mystérieusement — oui, vraiment sans raison — sa peine. Toujours pleine des livres de Costals, elle se rappelait une phrase de l'un d'eux : « L'éloignement rapproche. » Pourquoi comprenait-il tout, si bien, dans ses livres, et feignait-il de ne pas comprendre, dans la vie?

Quelques jours après cette scène, un matin, Costals était à Cannes. De la villa on voyait la mer, toute grise encore des orages abandonnés. L'écrivain lisait Malebranche, *la Recherche de la Vérité*.

De la pièce voisine vint une voix jeune et juste, qui chantonnait. Costals leva la tête. Quand il entendait son fils chanter dans la maison, il lui semblait que la maison volait par les airs. Quelquefois, le père et le fils chantaient, chacun à un étage différent. Il écouta un peu, puis n'y put tenir, et se dirigea vers la chambre du petit.

Aussitôt qu'il en ouvrit la porte, la voix se tut. Le garçon feignait de dormir. Costals connaissait cette plaisanterie. Comme chez tous les garçons de cet âge (celui-ci aurait quinze ans dans trois mois), les plaisanteries et les « scies » de Philippe, qui duraient peu, qui du jour au lendemain étaient enterrées à tout jamais, par contre, durant leur règne, étaient tenaces. N'eût-il pas entendu sa chanson, que Costals eût su que son fils ne dormait pas : son visage était sec, et, quand il dormait, il suait toujours.

— Ouvre les yeux, bourricot, ou je te fais tomber ma cendre de cigarette sur la figure.

Costals s'assit sur le lit... et sursauta. Il souleva le drap, et trouva un fleuret. Philippe avait découvert l'escrime il y avait une quinzaine; on était encore dans le premier feu de cette découverte; on couchait avec son fleuret, comme le cardinal de Maillé, nouvellement promu, couchait avec sa calotte, selon Saint-Simon.

Rassis, Costals prit les mains de son fils, jamais tout à fait propres, aux doigts longs et purs.

(Les jeunes garçons aux mains larges et limpides

avait-il écrit, un jour qu'il donnait dans l'alexandrin), et les baisa. Le fils avait un visage hâlé, de plats cheveux noirs. Sur le devant de son vêtement de nuit s'étalaient avec gloire les taches de chocolat des petits déjeuners. Il feignait toujours de dormir. On voyait tout de suite que, s'il n'avait pas d'ailes, c'était parce qu'il l'avait voulu ainsi (mais *quid* pour le pied fourchu?). Éparpillée sur le plancher, autour du lit, comme des crachats autour d'un Arabe, il y avait une grande quantité de monnaie (Philippe demandait que son argent lui fût donné ainsi, afin de pouvoir le faire tinter dans sa poche. — « Mais pourquoi, enfin? » — « Pour faire du chiqué, pardi! »), un peigne (cassé), une glace (cassée), un stylo (cassé), un portefeuille, un tube à parfum vide, tout ce qui bourre *in aeternum* les poches des garçons, hors desquelles cela glisse à chaque coup qu'ils s'étendent. Il y avait aussi un cadenas, car Philippe ne voulait pas qu'on tuât les lapins; chaque fois que la cuisinière leur apportait à manger, on venait chercher Monsieur, qui ouvrait et refermait lui-même le clapier.

Brusquement, Philippe saisit la tête de son père, l'attira, et l'embrassa. Puis il la tint serrée avec force entre ses bras, n'étant plus un enfant qui câlinait, mais un enfant qui se croit champion de *catch*. Il y eut de longs jeux de mains : il les aimait par-dessus tout, étant fort vibrion. A chaque mot de Costals lui disant qu'il allait casser tel objet, qu'il abîmait l'oreiller, il répondait : « Ça, c'est un détail » : c'était la scie du moment. Enfin Philippe tint les épaules de son père sous ses genoux, car le drap depuis longtemps était au diable. Et, dans cette position, il se baissa, et lui mordilla le nez.

— Tu m'as fait mal, idiot!

— Il a bobo! oh, la quille! oh, la quille! (et il lui faisait les cornes).

Enfin cela s'apaisa. Philippe, rentré sous le drap, se plongea dans le *Cri-Cri*. Costals, étendu au-dessus, reprit Malebranche.

Costals avait eu ce bâtard à vingt ans. L'intermédiaire choisi avait été une femme qui dans l'acte fût adultère, afin qu'il ne pût être question qu'elle eût le moindre droit sur l'enfant. A six ans, Philippe avait été confié à une vieille amie de Costals, M\ulle\ du Peyron de Larchant, demoiselle d'une cinquantaine d'années, qui avait pour le moutard tous les avantages de l'amour maternel, sans en avoir les graves inconvénients. Aimant aussi Costals comme son fils, elle n'avait jamais été amoureuse de lui, ce qui garantissait la solidité et la propreté de son affection. Costals avait combiné de cette manière, parce qu'il lui paraissait scandaleux que sur son fils quelqu'un d'autre que lui pût avoir des droits. Il était convaincu, en outre, de la détestable influence qu'ont en général les mères sur les enfants, opinion partagée par un grand nombre d'éducateurs et de moralistes, mais qu'ils n'osent avouer tout haut, crainte de choquer les idées reçues, toujours exquisément galantes.

Philippe vivait tantôt à Marseille, tantôt à Cannes. Costals allait passer avec lui une dizaine de jours par mois, persuadé qu'il était, par expérience, qu'un homme nerveux ne peut aimer un être avec lequel il cohabite, ou seulement qu'il voit tous les jours. La combinaison s'était montrée, depuis quinze ans, des plus satisfaisantes. Ce qui ne prouve rien.

Philippe, qu'on appelait Brunet, à cause de sa peau brune (lui, il appelait son père « La Dine », sans qu'aucune explication, raisonnable ou déraisonnable, pût être donnée à ce surnom), à près de quatorze ans était encore très enfant de corps : non formé, et sa voix n'avait pas mué. De caractère aussi il était très enfant, et en même temps terriblement dégourdi et éveillé : un peu en retard pour le corps, très en avance pour l'imagination. Il n'était pas un adolescent, il était un enfant précoce : ce n'est pas la même chose. A dix ans, à Paris, se trouvant un jour n'avoir plus d'argent pour revenir en métro à la maison, il avait été chanter dans les cours, jusqu'à ce qu'il eût récolté quatorze sous. A onze ans, Costals, qui lui non plus n'était pas né innocent (les innocents ne voient pas ces choses-là), avait découvert un trou fait par Philippe dans la porte du lavabo de Mlle du Peyron.

Ce n'était pas un enfant rebelle, ni méchant, ni seulement pesant, — pesant de légèreté, comme sont les enfants. Pas un de ces enfants dont on interroge avec anxiété le premier regard, à leur réveil, pour savoir s'ils sont bien ou mal éveillés, et si la journée sera possible ou intolérable. Il était un peu assaisonné, mais il était honnête. Il n'était pas pur, mais il était sain. Il zigzaguait fortement, mais sans jamais sortir de la route. Désintéressé; le cœur sensible; intelligent, d'une intelligence rase-mottes : tous les efforts de Costals pour lui injecter une conception un peu délirante de l'univers (une philosophie de l'univers) avaient échoué. Et ce quelque chose de reposant qu'il y a dans un jeune garçon qui n'est pas sportif. Bien qu'au premier abord il parût très petit Français 1927, c'est-à-dire horriblement voyou, il n'était pas voyou, car il n'était jamais ni bas, ni malfaisant : il ne faisait jamais de choses vilaines.

Le moyen le plus sûr pour obtenir la confiance et

l'amitié d'un jeune garçon, c'est de n'être pas son père. Brunet cependant se confiait à son père au delà de ce que demande l'usage. Il lui mentait aussi moins que ne le veut l'usage. Costals ne comprenait pas toujours son fils, et il en était quelquefois un peu agacé, voire irrité contre soi-même. Alors que, avec les femmes, il pouvait dire presque à coup sûr ce qui allait sortir de la boîte, quelle allait être leur réaction dans une circonstance donnée, avec Philippe il hésitait. C'était peut-être que les mouvements des femmes ont quelque chose de fait en série, mettons : de classique [1]; peut-être, simplement, que ce qui se passait en elles ne lui paraissait pas mériter qu'on y réfléchît. Il les jugeait bien moins mystérieuses que les hommes, surtout dans l'enfance. Rien de comparable, à ce point de vue, entre jeune garçon et jeune fille. Qui a dit, cruellement (Vauvenargues ou Chamfort?) qu'il faut choisir, d'aimer les femmes ou de les comprendre? Costals les aimait, et n'avait jamais cherché à les comprendre, ne s'était même jamais demandé s'il y avait en elles quelque chose à comprendre.

— La Dine!

— La barbe! Laisse-moi lire Malebranche.

— Tu nous fais ch... avec ta branche. Dis donc, cette nuit j'ai fait un joli rêve.

— De quoi as-tu rêvé?

— J'ai rêvé que je mangeais des nouilles aux tomates.

— Et c'est pour me dire ça que tu me déranges? Quelle colique que ce gosse!

Il y eut de nouveaux jeux de mains. Soudain, au plus fort de la lutte, Brunet ayant son visage à dix

1. « En France, les femmes sont trop les mêmes. C'est la même façon d'être jolie, d'entrer dans une chambre, d'écrire, d'aimer, de se brouiller. On a beau en changer, on croit avoir toujours la même. » Prince de Ligne.

centimètres de celui de son père, il s'immobilisa et le regarda avec attention.

— Je te regarde. J'avais oublié ta figure. Hier, à la gare, je me demandais si je te reconnaîtrais quand tu descendrais du teufteuf. Heureusement, je me rappelais ton pardessus. Il est assez moche! Un pardessus de quinze cents francs! Vrai, tu n'as pas de goût. Il va falloir que je t'accompagne quand tu t'achèteras tes pelures.

« Lui aussi, il oublie les visages... » pensait Costals, rêveur. Costals oubliait les visages de ses maîtresses, de ses meilleurs amis, oubliait tout. Quand un trait de lui-même lui revenait ainsi, renvoyé par son fils, il était un peu inquiet. « Bah! il est honnête, et moi je l'aime : avec ça on s'arrangera toujours. » (C'était aller un peu vite.)

Cependant Brunet regardait toujours son père. « Je t'aime bien, va. T'es un bon gars », lui dit-il enfin, et il l'embrassa. Costals le baisa à son tour, sur les paupières, plutôt par une sorte de sentiment des convenances, des réciprocités nécessaires, que par un élan vif. Alors, le garçon :

— C'est comme ça que tu embrasses les femmes? Dis, montre comment tu fais.

— Chh... Allons! Allons!

— Tu en avais déjà embrassé, des femmes, à quinze ans, toi?

— Bien sûr.

— Moi, j'ai embrassé Francine Finoune. Elle m'a dit : « Embrasse-moi, et je te paye le ciné. » Alors, je l'ai embrassée.

— Où ça?

— Là. (Il désigna l'endroit, sur sa joue.)

— Et ça t'a fait plaisir?

Philippe toisa son père, comme si Costals, par la seule hypothèse que ce baiser lui eût fait plaisir, l'avait offensé.

— Oh, dis donc!

— Le jour où ça t'aura fait plaisir d'embrasser Francine Finoune, tu me préviendras, parce que j'aurai deux mots à te dire.

— Un petit-beurre, que je te préviendrai! D'ailleurs on s'est fâchés. Elle m'a demandé dix francs. Alors, je lui ai flanqué une bafre.

— Elle t'offre le ciné, et toi tu lui refuses dix francs. Est-ce régulier?

— Ça, c'est un détail.

Costals chercha dans sa poche une cigarette... et y trouva un rouleau de pastilles de menthe. Il n'était guère de semaine où Brunet ne fît ainsi une « surprise », un petit cadeau à son père, glissant dans une de ses poches des bonbons, un paquet de cigarettes, etc. Costals donna du feu à l'enfant. Il y eut encore une plaisanterie classique : Brunet soufflant, vite et coup sur coup, plusieurs bouffées de fumée dans les cheveux de Costals. Celui-ci devait alors coiffer promptement le béret de son fils. Quand il le retirait, sa tête fumait : grande joie, toujours aussi neuve! Le crâne bouillant du génie!

— Pauvre La Dine, je te fais perdre ton temps.

— Je ne perds jamais mon temps quand je suis avec toi.

Costals s'était étendu de nouveau sur le lit; ayant abandonné *la Recherche de la Vérité*, il lisait le *Cri-Cri* par-dessus l'épaule de son fils. A chaque instant, Philippe éclatait de rire. Il semblait n'être pas à son affaire tant qu'il n'avait pas trouvé un prétexte pour rire, et tout lui était prétexte; alors il renversait à fond la tête, et dans son visage brun, au sommet de tout son être, ses dents d'une blancheur éclatante, menues et régulières comme les incisives des chats, évoquaient la neige au sommet d'un mont : il avait la braverie peinte sur le visage. Presque à aucun moment, depuis une heure qu'ils étaient ensemble, il n'avait cessé de rire : une gentillesse et une bonne humeur rayonnantes; on voyait tout de suite que c'était un enfant qui était débarrassé de ses parents. Tout cela bien accordé à la bonne humeur constante de Costals, état naturel d'un homme d'esprit.

Un fox à poil ras apparut sur le perron, fit un « ouof » sourd d'approbation, et disparut après cet O. K. Ce fox, qui répondait au nom de Poil-au-Nez, était la seule personne de la maison qui eût une haute tenue morale. Il regardait souvent Costals et son fils faire les fous, avec un œil sévère; il était visible qu'il les jugeait. Cela se terminait par un profond soupir. Puis le juste mettait son nez dans son derrière, et se rendormait.

Plusieurs fois, Costals voulut se lever, mais Brunet étendait les bras vers lui, étirait les bras, comme une chatte qui étire les deux pattes de devant, et Costals, qui connaissait bien ce geste, et le trouvait émouvant, renonçait à s'en aller.

Après quelque temps, Brunet froissa le *Cri-Cri* et le jeta avec violence, comme horrifié tout à coup de s'y être plu, puis inclina la tête et la posa sur la poitrine de son père. Il y avait toujours chez lui, au fond de son instinct joueur, un désir de contact, toujours trouvant une raison pour se frotter à son père, soit dans les jeux de mains, soit qu'il l'enlaçât brusquement et voulût le forcer à danser le fox-trot, soit qu'il lui sautât sur le dos, et toujours le prenant sous le bras dans la rue. (Et ses façons de fille de sursauter, en détournant la tête, quand on évoquait une opération chirurgicale, quoi que ce fût de dur ou de cruel, ou seulement le sphygmophone à son poignet.) Costals, se trouvant ainsi contre lui, et touché de son besoin d'affection, ne crut pouvoir faire moins que de le baiser encore. Il se disait : « Il est charmant, il est câlin, il sent bon, la douceur de sa peau est une douceur d'un autre monde. Pourtant je n'ai pas pour lui le même genre de tendresse que j'ai pour une femme. Pourquoi? C'est étrange. » En fait, Costals ne pouvait avoir de tendresse puissante que pour les êtres qu'il désirait. Il trouvait que Philippe avait la naissance du nez, juste au-dessous des yeux, trop large (comme les lionceaux, si on veut), et cet unique petit trait qu'il n'aimait pas dans son visage l'empêchait de répondre avec une entière spontanéité aux caresses de son fils. Et il se surveillait, redoutant de lui paraître froid, car il l'aimait beaucoup, et prenant garde, ès cajoleries, d'en avoir toujours un peu de reste. Il se demandait aussi, comme il se le demandait des femmes : « Pourquoi a-t-il du plaisir à m'embrasser? » Et il ne comprenait pas.

Ils en étaient là quand la mère Bilboquet (c'était le surnom qu'ils donnaient à la vieille demoiselle) passa dans l'entrebâillement de la porte, en souriant du spectacle gentil qu'ils donnaient, sa petite tête de musaraigne ébouriffée.

ANDRÉE HACQUEBAUT
Saint-Léonard

à

PIERRE COSTALS
Paris.

Il n'est pas un jour, depuis que je suis revenue,
où les larmes ne me soient jaillies des yeux, sous
l'assaut d'une pensée douloureuse. Mais cela ne dure
que quelques secondes. Le reste du temps, je vis,
je ris, je parle, j'écris. Pas atteinte en apparence. Ce
qui me révèle à moi-même ma blessure, c'est que je
ne peux plus chanter. Avant, je chantais toujours,
dans mes pires périodes. Maintenant, non seulement
cela ne me « vient » plus, mais, si je m'y efforce,
cela ne « sort » plus. O Costals, de quoi les hommes
souffrent-ils? Il n'y a qu'une souffrance, c'est la
solitude du cœur. J'ai fait une liste des atouts de ma
vie : liberté, santé, loisir, mon pain (mon pain sec,
mais enfin), jeunesse encore, que sais-je. Eh bien,
me dire que des créatures humaines peuvent m'envier
tout cela avec passion, cela ne me rend pas plus
heureuse. Quand la liste s'allongerait à l'infini, il
suffirait que je place dans la colonne du passif l'absence de l'amour, pour que tout l'actif fût réduit
à néant. La vérité est que je ne jouis plus de rien.
Je n'ai trouvé un peu de paix que samedi, où je suis
allée me confesser, pour ne pas rompre tout à fait
avec la pratique religieuse. Dieu et vous me défen-

dant pareillement de vous aimer, cela devrait me convaincre!

L'autre nuit, j'ai fait un rêve. L'origine en est facile à deviner. Nous nous promenions dans des rues pluvieuses, à Paris. Et toujours j'oubliais quelque chose — une fois, ce fut une fourrure — et je remontais des escaliers interminables, et vous m'attendiez en bas, au coin d'une rue. Je vous retrouvais, nous repartions, et de nouveau je m'apercevais que j'avais oublié quelque chose, je revenais, remontais, recherchais... Et, comme toujours dans les songes, cette recherche demandait une peine inouïe, je remuais des choses confuses, cela n'en finissait plus, cependant que la crainte m'obsédait : « Il ne m'aura pas attendue. » Mais je vous retrouvais toujours sur le trottoir, m'attendant, avec votre visage crispé par l'impatience, votre petit visage de chat en colère. Ce rêve m'a consolée un peu, comme un signe que vous n'étiez pas perdu pour moi.

Et pourtant, si j'en croyais votre silence...

Oh! pas le moindre reproche, pas la moindre bouderie. (Je sais ce qu'il m'en coûte de bouder.) Il m'est impossible d'imaginer de moi à vous l'ombre seule d'un reproche. Quoi que vous fassiez, quoi qu'il advienne, *rien* n'altérera jamais l'admiration que j'ai pour vous, ni mon dévouement, ni ma gratitude. Mais c'est mon affection qui succombe, d'anémie, parce qu'elle se sent inutile. Elle ne peut pas se nourrir éternellement d'elle-même. C'est une tâche surhumaine, c'est le tonneau des Danaïdes à recharger jusqu'à ce qu'on s'effondre. C'est une tâche possible pour une fille de vingt ans. A trente ans (moins trente-neuf jours!) on n'a plus ce courage. Je vous devine occupé profondément ailleurs. Tout élan est tué en moi. Suspendue à vous sans cesse, comment pourrais-je supporter sans tourments ces longs déserts de l'amitié?

Qu'ai-je eu de vous, quelles maigres oasis! Pas

une heure d'intimité. Il y a deux ans, vous m'avez
reçue plusieurs fois chez vous. Depuis, toujours
au dehors : au concert, dans un restaurant, sur un
trottoir. On dirait que vous avez peur de je ne sais
quoi. Restaient vos lettres, si rares. (J'aurais sûrement préféré que vous ne fissiez rien pour moi, dans
le domaine pratique, et que vous m'écriviez davantage. Oh! ce monologue éternel qu'est ma correspondance avec vous!) Mais si les lettres elles-mêmes
disparaissent! Otez d'une amitié la présence et les
lettres, que reste-t-il? Je sais bien que, dans les
amitiés entre hommes, on demeure des semaines, des
mois, sans se voir ni s'écrire, et que cependant ces
amitiés, paraît-il, peuvent être très fortes et sûres.
Mais je ne suis pas un homme. Chaque courrier vide
me laisse accablée pendant une heure, influe sur
toute ma journée. Un mot de vous, au contraire,
c'est la goutte d'huile sur le feu, cela anime en moi
une ferveur passionnée...

Si je veux garder une petite place dans votre cœur,
il faut d'abord, n'est-ce pas, vous faire des lettres
courtes?

Votre

Andrée.

J'ai décidé de rire dorénavant le moins possible,
à cause de mes rides.

(Cette lettre est restée sans réponse.)

ANDRÉE HACQUEBAUT
Saint-Léonard

à

PIERRE COSTALS
Paris.

31 mars 1927.

Que signifie ce silence? Tous ces silences qu'il faut traverser jusqu'à vous... Je vous aime comme on aime un enfant dont on sait qu'il a une maladie de cœur et qu'il mourra à vingt ans. Je sais bien que je perdrai ce que j'ai de vous, c'est-à-dire le droit de vous écrire, etc., enfin vous dans ma vie, vous, vous prêtant un peu à moi. Je sais aussi que je ne ferai rien pour m'accrocher à vous. Je voudrais seulement n'être pas assassinée dans le dos : c'est la seule expression qui me paraisse rendre ces affreux lâchages par le silence, où on se débat sans savoir et sans comprendre, où on tâtonne dans le vide comme un aveugle après son bâton, ou un mystique cherchant son Dieu dans les ténèbres de l'abandon spirituel. Les mystiques eux-mêmes ont besoin des sacrements, qui leur remplacent la présence réelle. J'aime tout de vous : vos railleries et vos duretés, c'est du bonheur encore, et puis elles me fortifient contre vous; mais votre silence me désarme et me tue. Assenez-moi tous les coups que vous voudrez, je pourrai me défendre. Mais n'abusez pas ainsi du lâche avantage que vous donnent le silence et l'absence.

Si vous saviez ce que c'est, que n'avoir jamais de contact avec vous, — présence ou lettres, — qu'émietté par ces semaines de séparation absolue! Ce manque de *lié* entre nous! Et toujours ces choses qui avortent, avortent par l'absence, alors qu'il aurait fallu les battre quand elles étaient chaudes. Tout s'en va par l'absence, comme la chaleur d'une pièce par la porte ouverte. Que voulez-vous qui naisse entre nous, ou seulement subsiste, avec un tel décousu? A peine vous ai-je quitté, je trouve les mots qu'il fallait vous dire (un tel flot de choses nécessaires à vous dire pour vous expliquer ceci et cela, rectifier l'idée que vous avez de moi...), mais je ne puis vous les dire, puisque nous ne nous voyons jamais à intervalles rapprochés; j'en suis réduite à mes lettres, qui vous agacent et sont sans pouvoir sur vous, et c'est dans ma chambre, seule, que je vous parle tout haut et que je vous convaincs.

Ce n'est pas de votre procédé, comprenez-vous, que je me plains. Ce n'est même pas de votre indifférence à ma peine, ce n'est pas *de vous*, c'est de l'incertitude. Ce gouffre de l'incertitude absolue, qui peut receler tout, sans qu'on le sache : l'accident, la maladie, les changements du cœur, les griefs non fondés, les malentendus...

Écrivez-moi n'importe quoi, mais écrivez-moi. Ne fût-ce qu'une enveloppe vide, comme celles que le maréchal de Luxembourg demandait à Rousseau, pour que je sache que vous êtes vivant.

Je crois à vous quand même, comme il faut, disait notre prédicateur, croire au bon Dieu quand même.

Andrée.

(Cette lettre est restée sans réponse.)

ANDRÉE HACQUEBAUT
Saint-Léonard

à

PIERRE COSTALS
Paris.

23 avril 1927.
9 heures du soir.

J'ai aujourd'hui trente ans, Costals.

C'est dimanche. Dimanche, mon jour de faiblesse, déjà, les dimanches ordinaires. Il a fait un temps divin, trop beau. Ah! je commence à les connaître, ces printemps de désolation. Ces étés qui passent, l'un après l'autre, comme des corbeilles vides : aucun — aucun — n'a tenu ses promesses. Cette affreuse sensation de stérilité, en cette saison où tout aspire à se reproduire. Faudra-t-il toujours voir ces choses enivrantes à travers l'horreur de n'avoir pas eu? A quoi bon être jolie? (Pour combien de temps encore?)

Cet après-midi, c'était le brouhaha des joueurs de boule. De ma chambre, j'ai entendu sept fois, joué par le phono de l'hôtel, le grand air de *Louise* : « Depuis le jour où je me suis donnée... » De temps en temps, des bravos et des bans, car il y avait une fête de « société ». Avant le dîner, il a fait de l'orage. Tout, à l'hôtel, est éclairé a giorno. Les tables de jardin, sur la terrasse, brillent de pluie et de lumière, et l'air m'apporte une musique de bal. Je sens l'odeur de bonbon et d'orange d'une languissante branche d'acacia. Je vois sortir de l'hôtel deux jeunes gens en smoking. Leurs plastrons brillent, eux aussi, et leurs escarpins dans la boue. Leur insouciance, leur bonheur me font mal.

J'ai trente ans. Ça y est. L'âge de l'attente est fini, celui de la réalisation commence : je suis au pied du mur. Ce qu'il me faut, ce n'est plus du futur, mais du passé; plus de l'espérance, mais des souvenirs. Mon âge est celui où, en Amérique, les vedettes de cinéma se suicident, parce qu'elles n'ont plus rien à attendre de la vie. Moi, j'ai *tout* à en attendre.

Je me mets en imagination devant le lit d'un enfant mort, devant le lit d'un mari mort. Sans doute, avoir eu et ne plus avoir, c'est atroce; mais n'avoir pas eu du tout, c'est pire. Si j'étais plus jeune ou plus âgée! Plus jeune, je n'aurais pas encore assez de cette vie purement cérébrale et de cette amitié purement platonique, intelligente et froide : quand je vous ai connu, je n'aimais pas l'amour, je n'en avais pas besoin, je me suffisais, mon corps m'indifférait. Plus âgée, je n'aurais plus cette possibilité de me « faire une vie », je n'aurais plus rien à perdre en restant dans l'amitié pure et simple, je m'en ferais un bonheur résigné. Trente ans, pour moi, c'est trop tôt ou trop tard.

Costals, je vous le dis bien simplement et tristement : je ne cherche pas à vous garder. J'ai toujours su que, quoi que je fasse, je ne vous plairais pas éternellement. J'ai vécu, je vis encore, m'attendant chaque jour à votre lassitude et à votre oubli, et le silence où vous vous murez, depuis deux mois, me confirme dans cette crainte. C'est peut-être une erreur de psychologie : vous avez été si fidèle à votre « bonne œuvre » de m'être secourable pendant quatre ans! Mais je ne veux pas m'appuyer sur rien du passé pour en augurer l'avenir. Et puis, je ne sais même pas s'il y a eu de votre part « bonne œuvre », ou un penchant vrai. Vous n'avez jamais voulu m'éclairer sur ce point.

Cela étant, pourquoi serais-je prudente et discrète avec vous plus longtemps? Pourquoi serais-je adroite?

Discrète? Je me prends à croire que je ne l'ai été que trop. Adroite? Il n'y a pas d'adresse qui tienne avec vous, je le sais bien. Vous vous lassez sans raison, simplement parce que cela « a assez duré », a « fait son temps », parce que « il faut bien changer un peu ». Vous êtes l'eau qui va; malheur à ce que l'on confie à votre cours! Il n'y a pas à chercher à *mériter* avec vous; il y a, sans plus, à chercher à profiter de la courte période où l'on tient une petite place dans votre vie, et à faire d'elle, si possible, quelque chose de plus dense, de plus beau et de plus heureux.

Jamais, jamais, jamais vous ne trouverez en moi l'ennemie féminine. Jamais, quoi que vous fassiez, vous ne me verrez retournée contre vous, ni vous faire un reproche. Je suis votre *ami*. Mais il ne peut plus y avoir en moi, pour vous, que cet ami. Je suis une âme en peine, une femme de trente ans, nerveuse, malheureuse, qui n'a pas les dérivatifs des hommes : passades, voyages, affaires, vanité, ambition. Depuis vingt ans, je marche droit entre deux digues. Ayez donc un peu d'indulgence pour ce que je vais vous dire.

Ce que j'ai à vous dire est ceci : votre amitié ne peut plus rien pour mon bonheur. Elle est la perle que le Bédouin mourant de soif trouve dans le désert. Mon âge n'est plus celui des demi-mesures et des demi-attachements, il me faut le bonheur à pleins bords ou le désespoir à pleins bords. Je suis affamée de plénitude, et c'est d'une plénitude passionnée que j'ai besoin. Toutes ces choses spirituelles auxquelles, plus jeune, je tenais si fort, je n'y tiens plus; je ne tiens plus à vous en ce sens; je suis à bout d'être aimée délicatement. Cette amitié pure est une chose belle, mais elle n'est pas une chose tangible, dont je sois sûre comme de ce que je bois ou de ce que je mange; elle est une chose sans chair, aride, étouffante, intermittente, cahotique, d'ailleurs relâchée, épuisée à la longue — toute en absence, en attentes, en néant — où j'ai tous les renoncements de l'amour sans en avoir les bénéfices. Une chose stérile, finie, si on ne lui infuse pas une sève nouvelle. Être aimée, c'est être à la fois désirée, caressée, possédée et chérie. Tout le reste est de la fichaise.

Je voudrais avoir de vous ma part, être rassasiée de vous, pouvoir vivre sur mon acquis de vous. Et voici donc ce que je vous propose. Je le fais avec calme, de sang-froid : j'ai beaucoup réfléchi à ce que je vais vous écrire. Je vous propose d'échanger cette amitié moribonde contre deux mois où vous vous donneriez à moi de façon brûlante, où je serais à vous totalement. Je suis prête à vous faire la promesse solennelle que, ce temps accompli, vous n'entendriez plus parler de moi, si vous le désiriez.

Ces brèves semaines de plénitude désespérée (désespérée pour moi), vous en auriez peut-être du plaisir. Pour moi, elles seraient tout, — tout, c'est-à-dire *quelque chose*, dans ma vie où il n'y a *rien*, quelque chose sur quoi j'aurais prise, dont le souvenir demeurerait intangible en moi, que rien ni personne ne pourrait m'enlever, une autre satisfaction que cette satisfaction psychologique que malgré tout vous m'avez donnée. Avec ce souvenir-là, je pourrais narguer le bonheur banal des heureuses. Si je vous obtiens une fois, ma vie n'est pas perdue. Quelle paix éclatante pour le reste de mes jours!

Ne croyez pas que, même à trente ans, j'aie de l'amour physique un besoin extraordinaire. Plutôt un besoin cérébral. C'est, en vérité, par acquit de conscience que je voudrais l'avoir connu. Et qu'ensuite ce soit fini. Être vaccinée. Apaisée. Apaisée dans mon esprit, comprenez-vous. Comme lorsqu'on est bien installé dans son train, qu'on a eu peur de manquer. Je suis encore, pour les sens, une très petite fille. Tout ce que je vous offre est frais et neuf comme au premier matin, parfaitement digne, dans sa simplicité, de votre grandeur. Je ne vous pardonnerais jamais de me forcer à l'offrir hors de l'amour.

Et ne prononcez pas ce mot de collage que vous employez quelquefois sans élégance. Tout ce qui se place pour moi dans votre *aura* n'a plus son sens ordinaire. Amant, maîtresse, liaison, amour irrégulier, ces mots ne signifient plus rien : il y a l'amour. Et, à l'intérieur de l'amour, toutes les libertés, toutes les audaces, dévorées par son rayonnement.

Oui, c'est moi qui ai écrit cette lettre! Il y a deux ans seulement, je serais morte plutôt que d'imaginer ce pas que je fais vers vous. Mais que m'importerait l'opinion du monde, quand moi je sais que ce que je vous donnerais est pur d'une pureté radieuse, et peut-être sublime?

Andrée.

(Cette lettre est restée sans réponse.)

Ce qu'il y a de plus frappant dans la conception que l'homme — le mâle — se fait du bonheur, c'est que cette conception n'existe pas. Il y a, d'Alain, un livre intitulé : *Propos sur le bonheur*. Mais, à aucun endroit de ce livre, il n'est question du bonheur. Cela est tout à fait significatif. La plupart des hommes n'ont pas de conception du bonheur.

Saint-Preux, dans *la Nouvelle Héloïse*, s'écrie : « Mon Dieu, j'avais une âme pour la douleur : donnez-m'en une pour la félicité! » Eh bien, Dieu n'a pas entendu cette requête : les mâles n'ont pas d'âme pour la félicité. A leurs yeux, le bonheur est un état négatif, insipide au sens littéral du mot, dont on ne prend conscience que par un malheur caractérisé; le bonheur s'obtient en n'y pensant pas. Un jour, on fait réflexion sur soi-même, on se rend compte qu'on n'a pas trop d'ennuis : on se dit alors qu'on est heureux. Et on dresse en règle de conduite ce fameux poncif, que le bonheur ne s'obtient qu'à la condition de ne pas le rechercher. Le rechercher, en parler comme d'une chose concrète, n'est pas selon les messieurs chose virile. C'est un homme, Gœthe, qui a parlé du « devoir du bonheur ». Et c'est un homme encore, Stendhal, qui a écrit ce mot magnifique, et qui va si loin (il contient toute une philosophie et toute une morale) : « Je ne respecte rien au monde comme le bonheur. » Mais ces hommes-là étaient des hommes supérieurs, et c'est précisément parce qu'ils échappent au caractère moyen de l'homme, qu'ils pensent ainsi. L'homme moyen, celui qui avoue ce respect du bonheur lui est suspect. Quant au « devoir du bonheur », il a, malgré Gœthe, avec la formule « vivre sa vie », la plus mauvaise presse. Tel homme, jeune pourtant, si vous dites devant lui : « Une heure morne! une heure perdue! A l'approche de la mort, quel remords de ne l'avoir pas donnée au bonheur! », il sera déconcerté et vous demandera : « De quel bonheur voulez-vous parler? de celui des autres? de celui du pays? » Et, si vous lui répondez avec feu : « Non! DU MIEN! » vous le sentirez choqué. Il ne comprend pas que vous puissiez songer à votre bonheur; il n'a jamais songé au sien. Le mâle se dit toujours, et sans en souffrir : « Tu vivras demain. » Et c'est déjà bien beau, s'il donne un sens au mot *vivre*. Un autre homme jeune, presque un jeune homme, ayant « tout pour lui », comme il avait entendu quelqu'un employer le mot *vivre*, dans le sens où ce mot signifie se réaliser pleinement, l'interrogea : « Mais qu'est-ce que vous entendez par *vivre?* » Pour lui, vivre, c'était travailler, *gratter*. Le bonheur, si on lui avait demandé ce que c'était, sans doute aurait-il répondu : « C'est le devoir, c'est se créer une tâche, une discipline, etc. » Enfin, ce qu'il entendait par bonheur, c'était la façon qu'il s'était choisie, ou plus probablement qui lui avait été imposée, de tuer le temps. Et encore n'est-ce pas assez; quand les hommes tuent le temps d'une façon trop aisée et trop agréable, ils s'en dégoûtent. On a dit cent fois l'espèce de malaise qui s'empare de l'homme quand il se trouve arrivé à un *stand-point*, dans un état d'équilibre où il n'y a plus en lui de désirs : cette sorte de malaise rappelle celui qu'on éprouve dans un canot à pétrole, si le moteur s'arrête par accident, sur une mer étale. De là vient que la conscience du bonheur donne une si grande sensation de solitude. Cela est méconnu souvent.

Il arrive, toutefois, que l'homme ait une conception positive du bonheur. Le bonheur est alors pour lui la satisfaction de la vanité. (Cela, bien entendu, avec mille particularités individuelles, car chaque être se fait de son propre bonheur une idée absolument incompréhensible pour son voisin.) La vanité est la passion dominante de l'homme. Il est faux qu'on puisse faire faire tout ce qu'on veut aux hommes avec de l'argent. Mais on peut faire faire tout, à la plupart des hommes, en les prenant par la vanité. Presque tous se priveraient de manger et de boire une journée durant, si à cette condition, au cours de la journée, ils devaient obtenir une satisfaction de vanité. Un homme sans vanité n'est pas dans le jeu : il jette un froid, on le tient à l'écart. Pour l'homme il s'agit donc moins d'être heureux, que de faire croire qu'il l'est. Un jeune médecin du bled, récemment marié, disait avec ingénuité, sans se rendre compte à quel point sa phrase était magnifique : « Je suis extrêmement heureux. Mais il faudrait avoir quelqu'un à qui le dire. » La plupart des hommes ne demanderaient pas mieux que d'avoir le bonheur du sage. Au fond, c'est cela qu'ils aiment : comme ils aspirent tous à la retraite! Mais on ne les croirait pas heureux, on croirait qu'ils ont renoncé, ou n'ont pas été capables, et alors ils partent sur l'autre rail, font les importants, s'engagent dans la honteuse et ridicule agitation où nous les voyons, donnent beaucoup de coups de téléphone, et bientôt une journée de bonheur devient pour eux une journée où ils ont donné beaucoup de coups de téléphone, c'est-à-dire une journée où ils ont été très importants. Et c'est ainsi que le bonheur-satisfaction-de-la-vanité entre dans le bonheur-qui-s'obtient-sans-qu'on-y-pense, dont nous parlions tout à l'heure.

La femme, au contraire, se fait une idée positive du bonheur. C'est que, si l'homme est plus agité, la femme est plus vivante. Ah! ce n'est pas elle qui demandera, comme le jeune homme de tout à l'heure : « Qu'est-ce que vous entendez par *vivre?* » Elle n'a pas besoin d'explications. Vivre, pour elle, c'est sentir. Toutes les femmes préfèrent se consumer en brûlant, à être éteintes; toutes les femmes préfèrent être dévorées, à être dédaignées. Et dans ce « sentir » quelle mobilité, quelle ampleur des réactions! Quand on voit qu'une femme, si l'homme qu'elle aime semble l'aimer moins — ne fût-ce qu'un peu moins — souffre autant que s'il ne l'aimait plus du tout; quand on voit qu'ensuite, si elle reconnaît qu'il l'aime autant, non seulement elle en éprouve une joie merveilleuse, mais elle ajoute à sa joie cette nouvelle joie, de se faire pardonner de l'avoir soupçonné, quand on voit cela, et qu'on voit en regard la lourdeur des hommes, on donne un sens au mot « vivant ».

Eh bien, cette succession de petits plaisirs qui, au dire des hommes, parviendrait à composer le bonheur, comme les étoiles composent la voie lactée, n'en paraît pas plus capable, aux yeux des femmes, que pour les chrétiens mille péchés véniels ne sont capables de composer un péché mortel. Le bonheur est pour la femme un état nettement défini, pourvu d'une personnalité et d'une particularité, une réalité substantielle extrêmement vivante, puissante, sensible. Une femme vous dira qu'elle est heureuse comme elle vous dira qu'elle a chaud ou qu'elle a froid. « A quoi pensez-vous? » — « Que je suis heureuse. » — « Pourquoi voulez-vous faire ceci ou cela? » — « Mais pour être heureuse! » (et avec quelle vivacité de ton! un « pardi! » est sous-entendu).— « Je crains que vous ne fassiez ceci ou cela. » — « Croyez-vous que je veuille détruire mon bonheur? » Elle vous donnera le signalement de son bonheur, vous disant, par exemple : « Quand je suis heureuse, je ne parle pas », ou « Quand je suis heureuse, je me porte toujours bien. » Elle saura précisément quand il commence et quand il finit. Il y a un livre de la Bibliothèque Rose intitulé : *Quatorze jours de bonheur*. C'est un livre écrit par une femme, et il y paraît bien au seul titre : jamais un homme n'aurait l'idée que le bonheur puisse être découpé en tranches nettes comme un gâteau. Et ces « quatorze jours de bonheur » — on veut dire : toute période délimitée de bonheur, tout bonheur nettement éphémère, — la femme s'en réjouira beaucoup plus que l'homme ne le ferait à sa place. Toute femme préfère à rien un bonheur dont elle sait la brièveté. Dites à une jeune fille : « Je veux bien vous épouser, mais, pour telle ou telle raison, il est fatal que vous commenciez d'être malheureuse dans un an », elle répondra sûrement : « Eh bien, j'aurai eu un an de bonheur. » L'homme, à sa place, songerait à la menace de l'avenir, et pèserait le bonheur et le risque. L'idée du bonheur est si forte chez la femme, qu'elle ne voit que le bonheur; il éteint pour elle le risque.

Le seul destin acceptable pour une femme est le mariage heureux. Donc elle dépend de l'homme, et dès son jeune âge elle le sait. Si vrai soit-il qu'un adolescent souffre de son impuissance, jeune garçon il vit dans le présent, jeune homme il imagine l'avenir comme une matière qu'il sera seul à façonner. De cet avenir la jeune fille a peur. Le garçon sait que son avenir sera ce qu'il voudra; la jeune fille sait que son avenir sera ce qu'un homme voudra. Ses rêves de bonheur, durant cette période incertaine, seront d'autant plus ardents que, d'avance, ce bonheur est menacé.

De même, la femme, beaucoup plus que l'homme, attache de l'importance aux conditions du bonheur. C'est une femme qui a écrit que, comme certaines délinéations sur le thermomètre de chambre sont marquées *orangers*, *vers à soie*, etc., le trait des 25 degrés devrait être suivi de l'indication : *bonheur*. Lorsqu'on revient de longs séjours en Afrique du Nord, en Espagne, en Italie, pour tomber dans la lèpre de l'hiver parisien, 10 degrés au-dessous, l'obscurité, la saleté, la laideur, les difficultés pour tout, l'âpreté pour tout, la vie maladive et surmenée, ce qui vous étonne, c'est moins l'ensemble de cette horreur, que de voir que la plupart des hommes s'en accommodent : la vie continue, grâce à eux. Mais, au fond de cet enfer, les femmes, elles, rêvassent d'autre chose, se languissent d'autre chose, plus d'une contient du désespoir. Il a paru jadis un roman de jeune fille qui avait pour titre : *L'Age où l'on croit aux îles*. Les femmes sont toujours à l'âge où l'on croit aux îles, c'est-à-dire où l'on croit au bonheur.

Cette idée positive que les femmes se font du bonheur, et cette exigence qu'elles ont vis-à-vis de lui, viennent sans doute de l'état d'insatisfaction qui est leur loi. Oh! ce n'est pas que toutes les femmes soient des martyres. Néanmoins, lorsqu'on pense à la condition des sexes dans la société, pour les femmes on pense plutôt *malheur*, pour les hommes on pense plutôt *embêtements*. Il y a dans le mariage musulman, tel qu'il est célébré à Alger, une coutume saisissante. La coiffeuse s'avance vers les jeunes mariés et verse de l'eau de jasmin dans les deux mains réunies de la mariée; le mari se baisse et boit cette eau; la coiffeuse procède de même pour le mari, mais lorsque la mariée se prépare à boire dans les mains du mari, celui-ci ouvre les mains et le liquide s'échappe. Voilà une coutume atroce : il est posé en principe que l'homme doit être heureux, et que la femme ne doit pas l'être. Il y a dans ce geste de la petite fille qui se penche pour boire l'eau, et à qui son époux la refuse, quelque chose qui fait frissonner. Il est bien sûr que c'est ici le monde musulman, et qu'en Europe le malheur de la femme n'est pas posé à l'avance comme un principe sacré. Mais enfin, en Europe même, alors que la femme fait son bonheur du bonheur de l'homme, les hommes ne s'occupent guère de rendre les femmes heureuses. Un homme public qui risque de sacrifier la bonne marche de sa carrière, un industriel qui risque de sacrifier quelque chose de sa situation, un écrivain qui risque de sacrifier une partie de sa puissance de travail, pour rendre une femme heureuse (par exemple, en l'épousant), cela est rare. Bien mieux : tout risque de sacrifice étant hors de cause, on ne voit pas d'homme qui épouse une femme qui désire ce mariage, quand lui il le désire moins, simplement parce qu'elle en sera heureuse. Alors que des millions de femmes rêvent du mariage uniquement pour épancher un trop-plein de dévouement sur un mari et des enfants.

Les rêves naissent de l'insatisfaction : quelqu'un de comblé ne rêve pas (ou ne rêve que de façon concertée, s'il est un artiste). Où rêve-t-on au bonheur (même les hommes)? Dans les taudis, dans les hôpitaux, dans les prisons. La femme rêve au bonheur, et y réfléchit, parce qu'elle ne l'a pas. Si l'homme souffre par la femme, il a tout le reste pour se consoler. Mais elle, quoi? Une femme ne peut jamais se réaliser complètement : elle dépend trop de l'homme. Aussi rêve-t-elle sans cesse à ce qui lui est impossible. Une poétesse a écrit un livre sous le titre *Attente;* c'était un titre aussi féminin que nos *Quatorze jours de bonheur.* Une femme attend toujours, avec espoir jusqu'à un certain âge, sans espoir au delà.

Ce rêve du bonheur, si propre à la femme, l'homme ne le comprend pas. Il l'appelle naïveté, exaltation, romanesque, bovarysme, toujours avec une nuance de supériorité et de dédain; il a un mot plus méprisant encore : vague à l'âme. Qu'une femme avoue qu'elle est heureuse, un homme lui dira que c'est de l'exhibitionnisme. Qu'elle chante toute la journée, un homme dira : « Je crois qu'elle est un peu simple d'esprit »; pour lui, elle ne saurait être heureuse, sans être simple. Qu'un poète écrive qu'il préférerait n'aller pas aux lacs italiens, à y aller sans une compagne aimée, il y aura toujours un critique pour déclarer : « C'est une conception d'arpète. » (Une femme qui vous dit : « Ce serait pour moi un supplice *à crier*, que voir, par exemple, certain Titien que j'aime, aux côtés de quelqu'un que je n'aime pas », si ç'est cela une conception d'arpète, va pour l'arpète.) La jeune fille qui attend un peu trop long-temps un mari, et fleurit inutilement dans son cœur l'autel de l'homme inconnu, n'apparaît à ce même homme que comme un personnage comique : il croit, ou feint de croire, qu'il ne s'agit que d'un drame de la chair, alors que ç'est l'âme que consume le besoin de se donner. (Reste à savoir si ce malheur est plus grand que celui de beaucoup de femmes mariées.) La jeune femme qui rêve d'un bonheur qu'elle n'a pas ne l'intéresse que dans la mesure où il en espère le bénéfice : il n'en a pas pour cela plus de respect pour sa nostalgie. Quant à la vieille fille et à ses regrets, il n'a pour eux que raillerie, voire insulte : l'attitude de l'homme à l'égard de la vieille fille, en France du moins, est une honte.

Cette conception féminine du bonheur subit le sort de toutes les conceptions féminines : elle n'inté-resse pas l'homme. L'homme ne s'intéresse pas à la femme quand ses sens sont satisfaits, et c'est une des tragédies de la vie d'une femme, le jour où elle en prend conscience pour la première fois. Galatée fuit vers les saules, pour qu'on la rattrape; encore un moment et l'homme s'enfuit des saules, mais cette fois c'est tout de bon, il ne veut pas être rattrapé. La femme ennuie ou agace l'homme aussitôt qu'il ne jouit plus d'elle, comme la cigarette dont nous aspirions avec plaisir la fumée il y a un instant, cette même fumée nous incommode lorsqu'elle sort d'une cigarette aux trois quarts consumée, que nous avions posée pour ne plus la reprendre. C'est parce qu'ils n'ont rien à se dire que les couples se disputent; cela leur fait une façon de passer le temps. L'homme doit prendre sur lui, par politesse, par gentillesse, par devoir, pour donner de son temps à la femme qui l'a satisfait; quand il s'occupe d'elle, il a toujours le sentiment de lui faire une grâce. Il n'y a que les libertins pour s'intéresser sans cesse à la femme, parce que la curiosité — qui est l'âme du désir — est chez eux sans cesse en éveil : de là l'indulgence des femmes à leur égard, même des femmes les plus sérieuses. « *Le bonheur des femmes*, dit avec profondeur un personnage de roman, *le bonheur des femmes vient des hommes, mais celui des hommes vient d'eux-mêmes. La seule chose qu'une femme puisse pour un homme, c'est de ne pas troubler son bonheur.* » Le terrible est que la femme rêverait — naïve et impuissante — de pouvoir pour l'homme ce que l'homme peut pour elle. Une femme heureuse et aimée (et qui aime) ne demande rien de plus. Un homme qui aime et qui est aimé a encore besoin d'autre chose. Toute question d'argent mise à part, l'homme qui se marie fait toujours un cadeau à la femme, parce qu'elle a un besoin vital du mariage, et que lui il n'en a pas besoin. Les femmes se marient parce que le mariage est la seule clef qui puisse leur ouvrir le bonheur, tandis que les hommes se marient parce que Pierre et Paul le font; ils se marient par habitude, sinon par hébétude. Naturellement, ils n'avouent pas cela, parce qu'ils sont inconscients. C'est par inconscience que la majorité des hommes se marient, comme c'est par inconscience qu'ils font la guerre. On frémit à la pensée de ce que deviendrait la société, si les hommes se mettaient à se gouverner par leur raison : elle périrait, comme nous voyons, sous nos yeux, périr de leur intelligence les peuples trop intelligents.

L'homme et la femme, chacun d'eux est devant

l'autre, et la société lui dit : « Tu ne comprends rien à lui? Tu ne comprends rien à elle? Eh bien, comprends quand même! Allez, et débrouillez-vous. » Aussi bien, s'il n'y avait pas l'étreinte, chaque sexe resterait de son côté. Non pas farouchement, comme dans le vers de Vigny, mais simplement comme deux espèces imperméables l'une à l'autre, et qui n'ont rien à se communiquer. La nature les a faites antinomiques, et telles qu'elles ne peuvent s'accorder, ou ne peuvent s'accorder que sur la ruine de quelque chose, et nous assistons à ce spectacle singulier, d'êtres qui sont poussés l'un vers l'autre, alors qu'ils semblent n'être pas faits l'un pour l'autre.

La femme est faite pour un homme, l'homme est fait pour la vie, et notamment pour toutes les femmes. La femme est faite pour être arrivée, et rivée; l'homme est fait pour entreprendre, et se détacher : elle commence à aimer, quand, lui, il a fini; on parle d'*allumeuses*, que ne parle-t-on plus souvent d'allumeurs! L'homme prend et rejette; la femme se donne, et on ne reprend pas, ou on reprend mal, ce qu'on a une fois donné. La femme croit que l'amour peut tout, non seulement le sien, mais celui que l'homme lui porte, qu'elle s'exagère toujours; elle prétend avec éloquence que l'amour n'a pas de limites; l'homme voit les limites de l'amour, de celui que la femme a pour lui, et de celui qu'il a pour elle, dont il connaît toute la pauvreté. Non seulement ils ne vont pas au même rythme, mais l'offre et la demande ne sont pas entre eux accordées. L'homme ne peut guère avoir pour la femme que du désir, qui assomme la femme; la femme ne peut guère avoir pour l'homme que de la tendresse, qui assomme l'homme. La femme offre plus de tendresse que l'homme n'en peut soutenir; par bonheur il y a l'enfant, tant qu'il a besoin d'elle, qui vient en absorber le surplus. La femme dit : « Ah! que les hommes sont fous de négliger, pour les idées, la gloire, l'argent, un temps qui devrait être consacré à l'amour, au vrai amour : il enseigne tant de choses! Combien d'hommes échouent à atteindre aux plans supérieurs (intellectuel, social, religieux, etc.) parce qu'ils n'ont pas laissé vivre en eux l'amour! » Et l'homme répond : « Comment laisserais-je vivre en moi l'amour?. Je ne peux que l'y laisser mourir. Cette braise n'est pas de celles qu'on attise : l'artifice y est pire que rien. Pourquoi me demande-t-on d'être autre chose que ce que la nature m'a fait? La nature m'a fait homme, c'est-à-dire d'une espèce sans amour. » Tel est ce couple hybride, d'où naissent la plupart des maux de l'humanité, sans que ni lui ni elle en soient coupables, mais seulement la nature, qui les a conjoints sans les assortir, mettant là le meilleur et le pire, comme dans toutes ses autres œuvres, où il n'est rien qui ne soit mêlé, confus, impur, à double face, malgré les inconscients et les philosophes, qui n'en voient jamais qu'un seul côté.

« Quoi donc! dira-t-on, " ce couple d'où naissent la plupart des maux de l'humanité " : quelle exagération! » Mais qu'on ouvre un journal. Drames de la jalousie, drames de l'adultère, drames du divorce, drames de l'avortement, crimes passionnels. Et tous les drames de famille, qui ne seraient pas sans un couple initial. Et tout ce qui n'est pas dit. Ce n'est pas l'union libre qui semble maudite, c'est le couple, sous quelque forme qu'il prenne, et dans le mariage peut-être plus encore qu'autrement. Ce monstrueux hasard à la base : l'homme qui est forcé de prendre une compagne pour la vie, alors qu'il n'y a pas de raison pour que ce soit celle-là plutôt qu'une autre, puisque des millions d'autres sont aussi dignes d'être aimées. L'homme qui est forcé par la nature de répéter à dix femmes les mêmes mots d'amour, y compris à celle qui lui est destinée, faux s'il le lui cache, cruel s'il le lui avoue. L'homme qui est forcé par la nature de tromper sa femme, avec tout ce qui s'ensuit de mensonges et de bassesse, malfaisant s'il laisse aller la nature, malheureux s'il la combat. La jeune fille qui devient femme dans les larmes, et mère dans les gémissements. L'enfant, fait naturel, qui enlaidit et déforme la femme. L'acte soi-disant naturel par excellence, et qui ne peut être fait qu'à certaines époques, dans certaines conditions, avec certaines précautions. La terreur de l'enfant, ou la terreur de la maladie, comme un spectre au-dessus de chaque alcôve. L'acte soi-disant naturel par excellence entouré de toute une pharmacie qui le salit, l'empoisonne et le ridiculise. En vérité, quel homme, à condition qu'il réfléchisse un peu, ne se dira pas, lorsqu'il s'approche d'une femme, qu'il met le doigt dans un engrenage de malheurs, ou tout au moins un engrenage de risques, et qu'il provoque le destin? Et cependant, il le désire, la femme le désire, la société le désire, et la nature, si elle était capable de désirer quelque chose, le désirerait aussi, et tout cela est l'amour qui est le fil de flamme qui retient le vivant à la terre, et suffirait à justifier la création. On nous dira : où voulez-vous donc en venir? A rien d'autre qu'à dire notre étonnement. Notre étonnement de ce qu'un mouvement aussi essentiel que celui d'un sexe vers l'autre soit forcé par sa nature même de causer tant de maux. Il nous semble que ce que la nature devrait punir, c'est ce qui est fait contre elle, et non ce qu'elle demande. Mais non, elle réserve toutes ses rigueurs pour ceux qui la suivent, et sans lesquels elle ne serait pas. A moins que tout ne soit dans la nature, et qu'on ne se trompe quand on la voit ici plutôt que là.

PIERRE COSTALS
Paris

à

M. ARMAND PAILHÈS
Toulouse.

27 avril 1927.

Mon cher ami,

Lettre de la pauvre Andrée H. Elle s'offre à moi dans les termes les plus formels. Si elle insiste, je serai bien obligé de la refuser, en termes non moins formels.

Telle que je crois connaître l'opinion française, il me semble qu'elle me jugerait ainsi : « Un homme n'agit pas de la sorte! Ou c'est un goujat, ou c'est un impuissant. Il est abominable de faire un pareil affront à une femme. »

Qu'en pensez-vous? Mais voici d'abord ma *défense*.

Manquant au dernier point de l'esprit du monde, Andrée est incapable de discerner, dans mon attitude à son égard, ce qu'il y a de civilité pure et simple, de facilité de caractère, mettons de bonhomie. Quand il s'agit de moi, elle prend la politesse pour un vif intérêt, la bienveillance pour de la préférence, la pitié pour de l'amitié; Dieu me pardonne, je soupçonne que par instants elle croit que je l'aime. Si je mets dans une dédicace, à un confrère avec qui j'ai des relations franchement cordiales : « affectueux souvenir », il ne vient pas une seconde à l'esprit du confrère que j'aie pour lui de l'affection. Andrée, pour une pareille dédicace, fondrait de joie : « Il s'est déclaré! »

En fait, j'ai pour elle de la sympathie, de l'estime, et une certaine admiration. C'est tout, et c'est beaucoup.

C'est tout? Non, de la compréhension aussi. Je sais qu'Andrée est antipathique à ceux qui la connaissent. On lui reproche de se croire supérieure. Mais si elle l'était, en quelques points? D'être « littéraire ». Mais, bourrée de lecture, elle reste au contraire parfaitement naturelle, dénuée de la moindre pose, alors qu'il y en a tant, de ces femmes à lectures, qui endossent, plus ou moins inconsciemment, des sentiments qu'elles trouvent qui « font bien ». L'écriture d'Andrée est d'ailleurs révélatrice : la simplicité même, et la source jaillissante. C'est que, à la différence des autres, elle est un tempérament puissant et simple, une nature (et vous savez que ces mots « être une nature » étaient dans la bouche de Gœthe l'éloge suprême). Et je l'excuse même, jusqu'à un certain point, dans son manque de dignité. Car elle aime, enfin, cette fille, et l'amour et la dignité ne font pas bon ménage. Elle voudrait être heureuse : quoi de plus naturel? Moi aussi, quand je veux être heureux, je n'y vais pas de main morte. Bref, elle m'embête mais je la comprends, et la défends quand on l'attaque, car je ne jurerais pas que dans sa situation je ne serais pas embêtant moi aussi, bien qu'avec plus de prudence qu'elle, du moins je l'espère.

Tout cela dit, il reste qu'elle est laide, disgracieuse, mal ficelée, qu'elle n'a rien de féminin. C'est vous-même qui m'avez dit : « Elle a l'air d'une bonniche. » Le visage humain est une singulière invention : il faut que cela soit très bien, ou diable!

Et puis, même si elle n'était pas évidemment rebutante, elle ne me plaît pas, et je tiens que cela seul justifierait mon attitude. Il y a des femmes qui n'ont rien pour elles, mais ce rien me fait envie. Le rien d'Andrée m'accable. Boire cette coupe jusqu'au lit, non, jamais!

Le geste de prendre cette femme, je le peux. Réussir dans ce qu'on dédaigne est une noble chose difficile — parce qu'il faut vaincre à la fois les autres et soi-même, — mais qui a toujours été en mon pouvoir. Réussir dans ce qui me dégoûte est une chose que je peux aussi. J'en serais quitte pour la mortelle dépression nerveuse qu'on éprouve après avoir consommé l'acte de chair avec quelqu'un qui ne vous fait pas envie. Mais ce que je ne peux pas, c'est feindre l'amour. Dans ma possession, elle sentirait mon dégoût. Elle en serait poignardée. Je m'imposerais cette épreuve, et pour quoi? Pour la faire souffrir!

Admettons même qu'elle n'en souffre pas : prend-on une femme par pitié? C'est un *débat à ouvrir*, comme disent mes confrères. Bien entendu, il arrive qu'on prenne une femme parce qu'on a pitié d'elle, comme il arrive qu'on prenne une femme parce qu'elle vous a mis en colère; mais il y faut une base de désir, qu'il n'y a pas, et n'y aura jamais de moi à Andrée. Un de mes amis, très malheureux en ménage, m'a dit un jour, me parlant de sa femme : « Je marche avec elle par pitié. Elle est jeune. Elle en a besoin. » Je n'ai jamais oublié ce mot, qui me parut terrible. Mais on peut satisfaire, par pitié, une femme qui, même si elle vous rend malheureux, est votre femme, est mêlée à votre vie, à vos intérêts, que l'on voit sans cesse. On ne satisfait pas, par seule pitié, une étrangère qui physiquement vous glace, et pour qui on n'a pas d'affection.

En outre, on a beau dire, c'est quelque chose que rendre femme une demoiselle, eût-elle trente ans. Cela crée un lien, des risques, peut-être une responsabilité, peut-être de longues conséquences : rien ne pourra faire que cela n'ait pas existé. Eh bien! je tiens que c'est folie pure de susciter tout cela pour quelqu'un qui vous est indifférent. La mère de

Colette lui disait : « Ne fais de bêtises que celles qui te font réellement plaisir. » Et je ne veux pas qu'elle ait de droits sur moi.

Une dernière raison, mesquine si vous voulez, mais quoi! je ne suis pas un homme de bronze. Par caractère et par principe, j'ai enfoui dans le secret, depuis mon adolescence, toutes les liaisons que j'ai eues, même les plus flatteuses. Par caractère, étant secret naturellement (ce qui va de pair avec les fausses confidences). Par principe, parce qu'une jeune personne me cède d'autant plus facilement qu'elle sait que rien n'en transpirera, et parce que ma réputation de libertin, du fait qu'on ne peut pas l'accrocher à des noms, garde malgré tout un caractère assez vague, qui l'empêche de me gêner dans mes entreprises. Et voici qu'Andrée, aussi incontinente de parole que de plume, irait publier qu'elle est ma maîtresse! Je me suis plu à ce que, quelques rares personnes exceptées, nul ne fût capable de nommer mes amies. Et tout Paris, devant un laideron comme Andrée, pourrait s'écrier : « Nous savons donc maintenant ce qui le captive! » et à cet échantillon imaginer le reste!

Et enfin, quand il n'y aurait pas tout cela, il y aurait ceci, qui suffirait à me retenir d'être son amant : elle a dans la forme du visage, et le front, quelque chose de mon grand-oncle Costals de Pradels, et vous comprendrez que je ne veuille pas mêler la famille... Qui l'eût cru? J'ai mes décences, moi aussi [1].

. . . .

COSTALS

[1]. La suite de cette lettre est sans rapport avec notre sujet.

ANDRÉE HACQUEBAUT
Saint-Léonard

à

PIERRE COSTALS
Paris,

30 avril 1927.

Vous avez laissé sans réponse la lettre la plus grave qu'une jeune fille fière et pure puisse écrire à un homme. Mes autres lettres, à la rigueur, ne demandaient pas de réponse; celle-là en exigeait une. Si vous ne répondez pas à ma lettre d'aujourd'hui, je considérerai que, pour la première fois, vous avez *mal agi* avec moi. Ce sera la première fissure *réelle* dans l'estime que j'ai pour vous.

J'ai trente ans, je ne connais pas l'amour, et, si vous ne changez pas d'attitude, je ne le connaîtrai jamais. Parce que vous avez pris en moi trop de place. Qui peut vous aimer comme moi? Personne, c'est impossible. Il n'y a pas une de vos maîtresses qui vous aime comme moi. (C'est d'ailleurs une raison pour que vous me les préfériez.) Vous êtes celui qu'on ne rencontre qu'une fois, l'être décisif, définitif, qui vous marque, et la femme qui ne l'a pas rencontré ne saurait avoir qu'une vie tronquée, manquée, sans fleurs et sans fruits. Vous êtes mon maître. Dieu sait que je n'ai pas l'âme d'une esclave, et cependant je me soumets à vous sans nul effort, sans nulle humilité; malgré tout je reste toujours sur le même plan que vous, ensemble votre sujette et votre égale.

Je crois qu'il n'existerait pas au monde, pour une femme comme moi, une sensation plus délicieuse que celle-là, si vous étiez mon maître au plein sens de ce mot. C'est vous dire que je ne puis pas, même si je le voulais, porter à un autre homme je ne sais quel résidu de moi, quant tout ce que j'ai de meilleur est pris par vous : ce serait, à mes yeux, une *saleté*. Et d'ailleurs je suis désormais incapable de m'intéresser à un autre homme : les hommes qui ne sont pas vous m'ennuient. Ils ne me dominent pas. C'est moi qui les dominerais. Et je ne puis pas être à un homme qui ne me domine pas en tout; c'est impossible, tout renâcle en moi. Ma vérité de femme est d'aimer dans la soumission et le respect, il faut que je me sente dépassée. Voyez-vous, on m'offrirait les plus tentants mariages, maintenant... Comme celles qui ont la vocation religieuse, j'ai pesé. Dans un plateau, tous les biens possibles de ce monde, et dans l'autre ma vocation, qui est de vous aimer. Et c'est ma vocation qui l'emporte.

Vous êtes trop et trop peu dans ma vie. Trop pour que je puisse aimer quelqu'un d'autre. Trop peu pour me combler et me satisfaire. Vous me donnez trop pour que je puisse cesser toute relation avec vous sans un déchirement affreux. Vous me donnez trop peu pour que ce peu ne soit pas aussi insuffisant et douloureux que le rien. Votre amitié m'est une torture, et la rupture de cette amitié me serait une torture elle aussi. Vous êtes comme un couteau dans mon cœur. L'y laisser, ça fait mal. Mais l'arracher! Je me viderais de ma vie. Je suis écartelée entre mon amitié pour vous, mon besoin spirituel de vous, mon besoin d'être aimée spirituellement par vous, — et mon désir d'amour, mon désir de *vivre*, fût-ce quelques mois seulement, ma chair qui, elle aussi, a un besoin légitime d'être aimée. Si je ne veux pas vous perdre, il me faut sacrifier ma chair. Il me faut mourir vierge, ou oublier jusqu'à votre nom. Me priver du mariage, de la volupté, de la maternité, de la vie saine, et m'épuiser dans un sentiment sans issue, pour un être qui m'aime sans doute, mais qui n'a nul besoin de moi, ni pour me donner, ni pour recevoir de moi. Car vous ne désirez de moi pas même le renoncement. Vous ne désirez rien de moi.

Vous m'avez dit que les femmes qui vous regardaient avec des yeux noyés, cela vous « flanquait par terre ». M'avez-vous jamais vu ces yeux? Est-ce que je m'impose ou vous cramponne jamais? Si cela était, je comprendrais vos résistances : on ne doit rien aux gens qui vous assomment. Mais cela n'est pas, je m'en garderais bien : la lassitude de l'homme est quelque chose de bien trop humiliant pour une femme. Mon amour est une camaraderie amoureuse. Je ne vous désire pas, mais vous êtes le seul homme dont je puisse accueillir le désir sans révolte. Je vous le répète, je ne puis aimer que dans la supériorité. Je préfère être torturée par mes renoncements à me donner au-dessous de moi. Je préfère encore le mariage, même médiocre, à l'aventure médiocre. Alors, quoi? Un mariage, et votre amitié à côté? D'abord, aucun mari ne tolérerait une amitié semblable. Et puis, la seule pensée qu'un homme me touche me rejette vers vous, et j'imagine ce regret déchirant, que ce qui aurait pu être n'ait pas été.

J'ai voulu, je veux de toutes mes forces votre bien et le mien. Est-il possible que tout cela soit en pure perte? Faites-moi du mal, si votre vérité l'exige, mais ne me décevez pas. Mettons qu'il n'y ait dans ces deux mois de liaison aucun plaisir pour vous, qui êtes gorgé par ailleurs, ils pourraient être du moins une expérience psychologique dont vos livres tireraient profit. Je serais votre cobaye, et une espèce de cobaye particulièrement rare et précieuse : le cobaye lucide. Un cobaye qui, au besoin, prendrait des notes sur ce qu'il ressent, et vous les communiquerait. A défaut de plaisir, vous travailleriez pour votre œuvre, et moi, si je savais que j'y collaborais si peu que ce fût, mon bonheur en serait doublé. Et puis, on ne sait pas, le plaisir peut vous prendre : votre catalogue de femmes ne comporte peut-être pas une provinciale de trente ans, aussi cultivée du cerveau qu'elle est intacte de corps (et beaucoup plus jolie de corps que de figure). Vous qui avez souvent écrit que le seul mobile de l'homme, en amour, c'est la curiosité, comment n'avez-vous pas la curiosité de cette sorte d'objet-là? Et enfin, moi ou une autre...

De deux choses l'une : ou vous avez pour moi une affection véritable, et alors cela ne détruirait rien en vous, vous sauriez que vous me rendez heureuse, et votre affection en serait réjouie. Peut-être notre liaison, commencée par l'amitié, finirait-elle en amitié; l'amour aurait été enveloppé délicieusement entre deux couches d'amitié, comme un bijou entre deux couches de papier de soie. Sinon, si je vous suis indifférente, alors, que craignez-vous? C'est sans regret que vous verriez cette expérience vous détacher tout à fait de moi.

J'ai l'impression de frapper contre un mur. Le mur ne cède pas encore, mais à force de m'y acharner... Vous ne savez pas ce que c'est que la volonté d'une femme.

Andrée.

PIERRE COSTALS
Paris

à

ANDRÉE HACQUEBAUT
Saint-Léonard.

2 mai 1927.

Chère Mademoiselle,

J'ai bien reçu vos deux lettres de mars où vous vous plaignez de mon silence, et vos deux lettres d'avril où vous vous offrez à moi. Vous voyez que je vous ai lue.

Vous avez l'obsession du bonheur. Je l'ai moi aussi. Vous ne pouvez savoir avec quelle acuité je ressens le dramatique d'une condition où le corps non plus que l'âme ne trouvent ce qu'ils désirent. J'écrirais là-dessus des pages et des pages, et avec plus de force encore que vous. Si nous y sommes en pleine sympathie, — *sum-pathein :* souffrir avec, souffrir de la même souffrance que — c'est que, à ce point de vue, *j'ai été vous.* Non seulement pendant mon adolescence, ligoté par ma gaucherie et par mon ignorance du monde, mais même plus tard, homme déjà, dans certaines périodes désolées de ma vie. Il est vrai qu'elles furent très courtes. Aujourd'hui, j'ai tout ce que j'aime, et j'aime tout ce que j'ai.

Donc, encore une fois, votre souffrance n'est pas de celles qu'on doive imaginer, pour pouvoir y compatir. Je la connais, elle est atroce, et votre

141

situation est atroce. En vérité, vous n'avez pas de chance.

Cela dit, si j'ai bien compris vos dernières lettres, vous souhaitez de vous donner à moi. Laissez-moi vous dire, chère Mademoiselle, que cette idée ne me paraît pas heureuse.

1º J'ai une physiologie un peu particulière. Je ne désire : a) que des filles âgées de moins de vingt-deux ans; b) que des filles passives, végétales; c) que des personnes longues et minces, avec le cheveu couleur aile de corbeau; vous voyez que vous n'êtes pas du tout dans les conditions requises, et qui sont absolument *sine qua non.* Quels que soient vos attraits, sur lesquels je ne m'étendrai pas — vous les connaissez trop bien, — je ne me sens pas capable de répondre à un désir pourtant si honorable pour moi : la nature (la misérable!) resterait sourde à mes appels. Et, comme on dit, on ne fait pas boire un âne qui n'a pas soif.

2º (Pour mémoire.) L'acte dont vous rêvez serait pour vous une immense déception, surtout après vous être monté la tête comme vous le faites. Vous n'avez pas idée de ce que c'est que cette singerie. Une scène d'amour écoutée derrière la cloison, on jurerait une séance chez le dentiste. Je ne sais pas si vous avez jamais entendu ce que murmure une femme quand elle se donne. Non? Eh bien, c'est malheureux, parce que vous vous seriez faite carmélite sur le coup. (Mais soyons justes, ajoutons : ...et ce que dit un homme qui cherche à lier conversation avec une inconnue? Sûrement non, parce qu'il y a beau temps que vous vous seriez tiré un coup de revolver.)

Je vous mets en garde, aussi, contre votre croyance au pouvoir du désir et de la volonté. Vous savez mon opinion sur la maladresse des femmes : une de ces maladresses me paraît être leur foi dans l'efficacité de l'insistance. Je ne doute pas qu'il n'y ait des hommes avec lesquels cela réussisse. Mais je suis de l'espèce opposée. Et je vous dis : non, jamais!

Allons, courage! Croyez bien que je suis de grand cœur avec vous dans votre épreuve. Mais aussi, pourquoi vous acharner sur moi, quand le monde est plein de messieurs à multiples avantages, dont vous feriez le bonheur? Vous battez contre moi comme un oiseau contre la vitre d'un phare. Vous ne briserez pas cette vitre. Vous vous briserez contre elle, et vous tomberez au pied du phare. Au revoir, chère Mademoiselle. Vous me conservez votre amitié, n'est-ce pas, sans rancune? Vous savez que je suis voué à ce qu'on me pardonne tout.

Bien à vous [1].

C.

P.-S. — Vous n'avez pas affranchi suffisamment votre dernière lettre. C'est la quatrième fois au moins que ça vous arrive, et cela est fatal, avec les feuillets compacts que vous m'envoyez; ainsi je dois payer des surtaxes exorbitantes. Vous devriez acheter un pèse-lettres.

1. Le B de *Bien* est en réalité un R — « Rien à vous » — mais griffonné de telle sorte qu'on peut s'y méprendre. De même Costals, lorsqu'il veut dire *non* aux gens, mais appréhende qu'ils ne l'avalent pas sans grimace, leur dit-il : « Serviteur! », assuré qu'ils le prendront pour un acquiescement.

PIERRE COSTALS
Paris
à

ARMAND PAILHÈS
Toulouse.

2 mai 1927.

. . . .
. . . .

Seconde lettre de la pauvre Andrée, s'offrant à
tort et à travers. Elle m'aime tant, que je suis toujours surpris qu'elle ne m'ait pas encore assassiné.
Mais qu'elle essaye! Elle sera bien reçue! On ne me
tue pas comme ça. Et c'est moi qui sauterais sur
l'occasion de ne pas la rater. Je ne la blâme pas. Je
la comprends et je la plains. Elle m'a écrit un jour :
« Comprendre, c'est aimer. Si je vous comprends si
bien, c'est parce que je vous aime. » Eh bien, moi,
je la comprends et je ne l'aime pas. Je n'ai pour elle
qu'une profonde indifférence; la pensée même de la
faire souffrir ne me cause aucun agrément. C'est
pourquoi je ne lui donnerai pas ses deux mois d'amour.
Ni une semaine d'amour (la « semaine de bonté »).
Ni une nuit d'amour. Même pas « une heure avec ».
    Que n'avez-vous lu la lettre que je lui ai envoyée!
En effet, ne voulant donner à la pauvre fille aucune
de mes raisons, qui pouvaient toutes se résumer dans
cette phrase : « Je ne vous aimerai pas et je ne vous
prendrai pas, parce que je ne vous aime pas et parce

que je ne vous désire pas », je me suis mis la cervelle à l'alambic pour la refuser sans la meurtrir.

Ce n'est pas la première fois que je me trouve ainsi coincé. Jeune homme, je dus faire dire par un médecin de mes amis, à une Américaine en combustion, que la Vénus des carrefours ne m'avait pas laissé indemne, invention pure. Il y a trois ans, la baronne Fléchier, femme de cinquante ans et plus, me persécuta. Un jour, la minuit passée, au cours d'un tête-à-tête qu'à la force du poignet j'avais maintenu jusque-là dans le sublime, elle me met enfin ses vieux bras blêmes sous le nez en me disant : « Vous êtes le premier homme reçu par moi à cette heure, qui n'ait pas baisé mes bras. » Dans cette extrémité, il me fallut bien lui enfourner une raison. J'eus honte de celle qui m'avait servi contre la dame de l'Alabama. Je lui dis que malheureusement je n'avais pas le désir des femmes. Comme je garde fort enfouies mes liaisons, cela pouvait passer à la rigueur. Elle me crut ou feignit de me croire, et moi, saisi d'un accès de bonne humeur à la pensée de me sentir quitte, me voilà qui fignole la chose au point de lui jurer que, de ma vie, je n'ai tenu une femme dans mes bras! A ce prix nous restâmes bons amis.

J'ai répugné à donner l'une ou l'autre de ces raisons à une « jeune » fille, et j'ai raconté à Andrée des calembredaines incroyables. Je lui ai dit que je ne désirais que les moins de vingt-deux ans, longues et minces, avec des cheveux couleur aile de corbeau, et qu'il me les fallait tout à fait inertes, encore. Enfin je lui ai dit que l'acte de chair était une singerie. Ce qu'il est en effet. Mais il est aussi autre chose.

Et quand tout cela est si simple! Une étincelle de désir, et le tour serait joué depuis quatre ans. Vous connaissez ma cosmogonie? « Au commencement était le Désir. » Oui, et s'il n'y a pas le désir, il n'y a pas de commencement. Tenez, vu hier chez les Doigny une fille surprenante. Quelle jolie petite bête! Je l'ai remarquée et suivie un instant, en février, au Centre de Réforme, où elle conduisait un aveugle (un parent orphelin, me dira-t-elle). Tandis que tout le monde jacasse et m'abrutit de gracieusetés, elle ne dit rien. Ne rien me dire, vous savez que c'est le sûr moyen de « me dire » beaucoup. Être simplette, à mes yeux, c'est marquer un point. Surtout venant après les personnes « remarquables », du genre d'Andrée. Cette petite, dès l'abord, je l'imagine pas très intelligente, parce que trop jolie. Pensez qué jamais — jamais — je n'ai trouvé les deux ensemble chez une femme : intelligence et beauté. Enfin elle m'adresse quelques paroles, la banalité même, et recherchée. Et sa voix maniérée n'est pas intelligente.

Bien entendu, le goût me vient de la piçoter.

— Vous me dites que vous m'avez lu. Qu'avez-vous lu de moi, Mademoiselle?

Elle cherche :

— Voyons... Ah! *Rien que la terre.*

— Désolé! Mais ce livre est de Morand.

Elle ne se trouble pas :

— Je sais que j'ai lu quelque chose de vous. Je ne me rappelle ni le titre ni le sujet, mais je me rappelle que ça m'avait plu.

Bravo! mais l'épreuve n'était pas finie. Je lui ai jeté un sombre regard :

— Et... Et... est-ce que vous faites des réserves sur mon art, Mademoiselle?

Elle a ouvert de grands yeux. « Non, n'est-ce pas, vous ne faites pas de réserves? », ai-je insisté, sur un ton passionné. Elle a fait non de la tête. Alors nous avons été contents.

Et qu'elle est ravissante! Sa tête, ronde comme celle de l'oiseau. Ses mains parfaites, vraiment translucides comme l'onyx à leurs extrémités, et la beauté de ces extrémités et des ongles, la feraient croire de race noble, ce que malheureusement elle n'est pas.

Je manœuvre pour sortir avec elle, et nous voici avenue de Wagram. Sa conversation est plate comme un trottoir, et sa voix acidulée me fait mauvaise impression. Mais je suis attendri par ses petits pas de mule, quand elle marche à côté de moi. Moi, qui marche comme une montagne, et elle, comme un arbrisseau (ça, au moins, ce sont des comparaisons qui se tiennent). Toutes les femmes la dévisagent — sans sympathie — et il y a des hommes qui se retournent. Et moi, cette prompte familiarité, par quoi je lui montre qu'elle m'a plu. Et la vieille et grossière vanité de marcher au côté d'une jolie fille et de se dire qu'on est pris pour son amant. « Oui, mais au son de sa voix ils doivent comprendre qu'elle est une vraie jeune fille. » Et cela me trempe le plumet. En somme, je suis une réincarnation de René Maizeroy. Froufrou! froufrou!

J'étais mal à l'aise, de ne pas savoir son nom. Quand on désire une femme dont on ne sait pas le nom, apprendre ce nom, c'est comme l'ébauche de la posséder. Le nom est une âme, déjà. Elle s'appelle Solange Dandillot. *Sol* et *ange*, les deux extrémités! Moi qui touche toujours aux deux à la fois!

Et elle est la petite-fille d'un procureur général! Cela seul aurait suffi à me la faire désirer.

Elle me parle un peu de sa vie, avec une simplicité très française, qui me repose du sempiternel romanesque des histoires que vous racontent sur elles-mêmes les vierges allemandes. Je la raccompagne chez elle, avenue de Villiers. Immeuble bien; cela m'aide à l'aimer. (Oh!...) Elle prétend n'avoir pas d'amies. Et il n'y a rien de mieux pour une fille que de n'avoir pas d'amies, sinon de n'avoir pas de parents. J'offre de la faire inviter chez les Piérard, dans trois jours, et elle accepte. J'écris tout de suite aux Piérard, pour le plaisir de tracer son nom.

Pourquoi est-ce que je vous raconte tout ça? Parce que voilà une ange qui ne m'échappera plus. Elle a le plomb dans l'aile; il n'y a plus qu'à la laisser s'épuiser. Et c'est la réponse aux divagations de la pauvre Andrée, qui va chercher Dieu sait quoi Dieu sait où. L'histoire d'Andrée, cela tient en une phrase, qui ferait un bon titre de comédie légère : *Il aurait suffi qu'elle fût jolie.*

(J'ai mis *ange* au féminin. En effet, puisque les anges sont de purs esprits, je ne vois pas pourquoi on les représente exclusivement sous la forme mâle, sinon pour satisfaire la pédérastie inavouée du genre humain.)

ANDRÉE HACQUEBAUT
Saint-Léonard

à

PIERRE COSTALS
Paris.

Vendredi 4 mai.

J'ai montré un jour un billet de vous, sans en dire l'auteur, à une de mes amies, qui est graphologue. Elle me dit : « Méfiez-vous de cet homme. Il est de la race des serpents. » Eh bien oui, c'est cela : vous êtes le serpent masculin, dans toute sa hideur. Une autre de mes amies, en buvant dans quelque fontaine, avait avalé un œuf de serpent. L'œuf se développa dans son appareil digestif, et ce n'est que beaucoup plus tard, lors d'une radiographie, qu'on découvrit qu'elle avait à l'intérieur de son corps un serpent. Comme elle, je vous ai fait entrer dans mon cœur, jadis, en toute innocence : et j'y vois maintenant le reptile.

Assassin perfide et tenace! Oh! rien à dire, c'est du travail très propre. Pas de sang versé, rien de compromettant. Et un alibi merveilleux : « Comment, moi! Moi qui ai tant fait pour elle! Moi qui, maintenant encore, suis « en pleine sympathie » avec elle, moi qui comprends si parfaitement sa souffrance, qui lui prodigue mes encouragements, mes condoléances, mes consolations! » Vos condoléances me donnent envie de vous souffleter, vos conseils charitables, votre détachement insultant, ce désintéressement qui n'est que de l'impuissance ou du sadisme. « Jamais! » dites-vous. Et pourquoi? Parce que j'ai trente ans, parce que je ne suis pas « passive », etc. La plus misérable gamine a joui de vos caresses comme elle le ferait de celles de n'importe quel homme, et une femme pour qui vous êtes tout, qui eût éprouvé dans ces caresses le comble du bonheur humain, non par ce qu'elle y eût reçu de vous (ne vous croyez pas tant), mais par ce qu'elle y eût donné... La gamine du ruisseau ou de la maison close, que vous méprisez, ont cela de vous, et moi, que vous aimez avec votre cœur, avec votre bonté... Votre bonté, parlons-en! La bonté d'un ami qui voit son amie se noyer sans lui tendre la main! Mais il ne s'agit même pas de bonté : de justice. La justice, c'est de répondre à l'amour qui vous est offert par un amour égal.

« Je ne puis aimer que des filles âgées de moins de vingt-deux ans. » A d'autres! Dans *Fragilité*, Maurice dit à Christine : « Vous n'avez plus vos yeux de jeune fille. Des yeux de femme. Maintenant, il y a quelque chose derrière » (p. 211). On n'écrit pas cela de chic, il faut l'avoir ressenti. Vous ne pouvez aimer que des femmes « passives, végétales »? Il vous les faut de bois, de pierre, de fer, de ciment armé? Mais vous mentez. Vous avez écrit, en parlant de la petite Polonaise : « J'aime le plaisir (physique) que je lui donne. Quand il n'y aurait que cela, je serais payé » (*Pourpre*, p. 162). Vous ne pouvez aimer que des personnes « longues et minces »? Qu'est-ce que c'est que cette histoire? Faut-il vous renvoyer à la description d'Hélène dans *Fragilité*, à celle de Lydia dans *Pourpre* [1]? . . . .
. . . .

1. On a supprimé ici de nombreuses citations de l'œuvre de Costals, toutes dans le même sens : le mettre en contradiction avec lui-même. Elles occupent deux pages pleines, recto et verso, de la lettre d'Andrée.

. . . Et mon « insistance »! Moi, insister, moi, vouloir envahir votre vie, quand je passe la mienne à
chercher comment vous délivrer de moi et me délivrer de vous, quand j'en suis à souhaiter que vous
m'offensiez plus gravement encore que vous ne le
faites, pour que l'orgueil blessé fasse taire en moi la
douleur de vous perdre! Quand en échange d'une
chose durable, notre amitié, je vous offre le moyen
de vous débarrasser de moi pour toujours! « L'acte
dont vous rêvez serait pour vous une immense
déception. » Et pourquoi? C'est bien là une idée
d'homme. La femme excelle à agrandir, à sanctifier
tout avec son imagination et son cœur, quand
l'homme diminue tout avec son esprit critique, voire
avec sa mesquinerie naturelle. La femme aime plus
que jamais après la possession, surtout de l'homme
qui l'a initiée. Le contraire est sans exemple, je sais
bien ce que me disent mes amies. Et quand déception
il y aurait, ne serait-elle pas mille fois préférable à
cet empoisonnement par l'inaccompli, qui ne vous
permet pas de vous libérer d'un être? Et quand
dégoût il y aurait? Quel soulagement! Enfin en avoir
fini! Plus de Costals! Déception, je vous veux!
Dégoût, je vous veux! Mais, bien sûr, cette solution
déplaît à votre orgueil. Vous ne tenez pas à moi,
puisque vous acceptez de gaieté de cœur de me voir
sortir de votre vie, mais vous voulez me perdre avec
les honneurs de la guerre. Il ne faut pas que la
femme cesse de voir en vous un héros. Vous avez
peur d'être dépoétisé, pauvre ange! Eh bien, je vous
le dis, le véritable héros est celui qui donne du
bonheur. Et si je devais être dégoûtée de quelque
chose, ce ne serait pas de « l'acte de chair » avec
vous, ce serait de votre lâcheté à vous y dérober.
Votre misérable aveu fait, pour la première fois,
chanceler l'admiration que j'ai pour vous. Oui, je
n'ai que pitié et mépris pour cette dérisoire affection
qui est la vôtre, trop tiède pour assimiler la chair,

pour n'en pas redouter les ferments. C'est ça, le dieu fécondateur! On vous envie, et vous avez une *vie laide*, oui, le savez-vous? Oh! tous ces hommes « supérieurs »! Ces impuissants! Ces parasites! Ils mériteraient que les hommes du commun, que les braves gars aux mains calleuses leur coupent la tête, — et autre chose avec, puisqu'ils ne savent pas s'en servir pour rendre heureuses celles qui ont plus besoin du bonheur que de la vie. Ah! que ne m'avez-vous prise, fût-ce pour m'humilier! Vous pouviez me guérir d'un amour qui me tue, et vous ne le faites pas! Il faut souffrir *noblement*, hein? Il faut être sublime. Monsieur est fort pour le sacrifice, — le sacrifice des autres, bien entendu. « De toutes façons, vous me conservez votre amitié, n'est-ce pas? » Autrement dit : « Je pourrais, d'un simple geste, sans conséquences pour moi, vous donner le bonheur. Mais je ne le veux pas. Je désire cependant que vous restiez dans ma vie, juste ce qu'il faut pour me contenter sans me gêner ni me compliquer l'existence. Je n'aime de vous ni votre visage, ni votre corps, ni votre présence; vous pouvez donner cette part grossière de vous-même à qui vous voudrez. Mais réservez-moi, toujours, je vous prie, chère Mademoiselle, vos parties éthérées. Sans parler *(pour mémoire)* du droit de vous faire souffrir. » Eh bien, j'en ai assez de l'héroïsme. Vous m'avez lavée de l'héroïsme. Pour la vie.

J'avais rêvé qu'un homme me dominât, m'emportât dans une tempête. J'avais choisi un conquistador, un prince solaire, un homme dix fois plus mâle, plus intelligent, plus maître de lui, plus prestigieux que les autres, l'homme qui répondait à cet interviewer catholique qui lui reprochait d'avoir abusé du plaisir : « Eh bien quoi! j'ai fait jouir la création! » A lui je voulais donner mon esprit, ma jeunesse, mon corps vierge, ma bouche qui jamais ne reçut un baiser. A lui j'aurais été heureuse d'obéir.

A lui j'étais prête à immoler n'importe quoi, ma vie, mon honneur même. Je lui offre tout cela, et il n'en veut pas! J'avais tout prévu et tout accepté : *pendant*, la perte de ma paix intérieure, *après*, l'arrachement, son infidélité, son oubli, mon désespoir, ma réputation perdue. J'avais tout prévu, sauf que mon offrande fût repoussée. J'avais tout prévu pour *après* : je n'avais pas prévu qu'il n'y aurait pas d'*après*. Je voulais votre étreinte, et je n'ai trouvé que votre « gentillesse » et votre pitié : ou un vieillard protecteur et paternel, ou un gosse capricieux et taquin. J'avais cette psychologie des simples, des humbles peut-être, qui croient que le désir est inévitable entre homme et femme jeunes et normaux, qui s'aiment d'amitié. Je n'avais pas pensé aux raffinements de la « haute bourgeoisie » et de « l'élite pensante ». Vous me rendez communiste, tenez.

Samedi.

« Jamais! » Votre « jamais! » Eh bien, quand vous m'enfonceriez dans la tête ce « jamais » comme un clou, je rebondirais encore sous le marteau. Car, si je croyais vraiment à ce « jamais », je n'aurais qu'à m'étendre et à mourir : il y a des choses dont on mourrait, réellement, sans se forcer beaucoup; il suffirait de s'abandonner. Mais je n'y crois pas, je ne peux pas y croire. Un jour vous souffrirez, vous expierez de n'avoir renoncé de votre vie à un désir, même à un désir d'un instant, et d'avoir forcé une créature qui vous adore à renoncer à un désir pour elle unique, irremplaçable, vital. Et ce jour-là, Costals, il n'y aura plus de « jamais! ». Oui, je ne peux pas croire que, si un jour j'en arrivais à me traîner à vos pieds, vous suppliant de me donner non plus deux mois, mais une semaine d'illusion, vous me la refuseriez. Ce n'est pas tant qu'en soi j'en aie tant envie. Mais savoir que cela sera un jour, une fois.

Je vous demande une semaine de vous et ensuite c'est fini à jamais, si vous le voulez. Pour cette semaine je serais capable de brûler toute ma vie et de mourir, comme Lucifer, dans les flammes. Non, non, non, je ne puis pas croire que vous me refuserez éternellement. Quand vous me prendriez sans aucun amour, ni aucun désir, comme une fille rencontrée au coin de la rue...

Dimanche.

C'est le jour de la première Communion. Un soleil admirable. Un brisant jour de mai... J'ai pleuré en entendant ces voix de petites filles. Quelques années encore, et comme moi... Je me suis jetée à genoux contre mon lit, et j'ai dit : « Mon Dieu, donnez-moi le pouvoir de le convaincre! »

Tout à l'heure, je porterai cette lettre, pour la mettre à la poste, dans la même main que mon livre de messe. Voilà à quoi vous me forcez. Car je n'aurais pas à écrire de pareilles choses, si j'étais à vous.

(Cette lettre s'est croisée avec la suivante.)

PIERRE COSTALS
Paris

à

ANDRÉE HACQUEBAUT
Saint-Léonard.

6 *mai 1927.*

Chère Mademoiselle,

Ma dernière lettre était du genre cavalier, plutôt
que chevalier. A peine fut-elle partie, que j'en eus
du remords. Pardonnez-la-moi.

Cette lettre, logiquement, devait vous faire croire
que je ris de la situation où vous êtes. Or, non seulement je n'en ris pas, mais je la « sens » et la respecte. Il faut quand même vous dire pourquoi, et il
faut que vous me croyiez sur parole; car vous ne
pourriez jamais comprendre comment un homme de
mon espèce a pu se trouver dans un état semblable
au vôtre. Je ne vous l'expliquerai pas. Outre que cela
touche de trop près à ma vie privée, je ne sais pas
me l'expliquer à moi-même. J'en viens à croire que
ce fut une épreuve rappelant celles qui sont imposées
aux futurs initiés, ou la descente aux enfers des dieux
antiques, alternant un séjour sur la terre avec un
séjour dans les sacrées cavernes.

Il y a bien des années, pendant quelques mois,
mettons six mois, j'ai été *muré* comme vous. J'avais
une masse touffue de tendresse, prête, mon Dieu, à
être donnée un peu à n'importe qui, pourvu que je
désire cette personne (car je n'ai jamais aimé à fond

155

que les êtres que je désirais). Mais l'accrochage ne se faisait pas. Et j'avais la certitude que le monde était plein de jeunes filles qui auraient été heureuses de cette tendresse et de ce plaisir que moi j'aurais été heureux de leur donner; et elles le souhaitaient en vain, comme je le souhaitais en vain. Mais l'accrochage ne se faisait pas. Savez-vous, Mademoiselle, que j'ai frôlé des mains dans la rue, au passage, par besoin du contact humain? Il faut que vous le sachiez. J'étais plus jeune qu'aujourd'hui, ma liberté était sans limites, j'avais de l'argent à ne savoir qu'en faire, et j'ai toujours été prêt à payer le bonheur le prix qu'il faut, — le bonheur de ceux que j'aime autant que le mien. Mais l'accrochage ne se faisait pas. On avait peur de mon désir, je ne sais pourquoi. Je voyais s'écarter de moi des êtres à qui je ne voulais que du bien, et à qui je ne demandais rien en échange, que ce qu'ils désiraient eux-mêmes. Il me semblait pourtant que la tendresse devait se voir sur mon visage comme une sueur, comme une buée plutôt, qui l'estompait... Il faut croire que cela ne se voit pas ainsi. A mesure que j'avançais, on fuyait, comme les moutons dévalent le talus, de chaque côté de la route, à mesure que vous avancez en automobile : la création me coulait entre les doigts. C'est quelque chose d'inoubliable, cette expression de la peur, dans les yeux qu'on aurait voulu clore sous des baisers presque paternels. Ces filles qu'on aurait traitées comme des filles de la race des fiancées... Je ne sais ce qu'il y avait eu. Peut-être avais-je commis alors quelque terrible infraction aux lois, et cela se lisait-il sur mon visage. Peut-être n'était-ce la faute que d'un malentendu, d'une calomnie... Partout autour de moi je voyais les êtres s'accrocher l'un l'autre, et partir deux à deux. Mais pour moi l'accrochage ne se faisait toujours pas. Et c'était le printemps, l'été; ces choses-là se passent toujours l'été (août, terrible aux insatisfaits); les « journées trop belles », la nature que l'on sent plus heureuse que soi, Dieu sait que j'ai vécu cela! Et toujours cette obsession, cette impossibilité radicale de travailler, de s'arracher à son obsession. Et ces journées sans amour tombant l'une après l'autre. Encore une journée sans amour. Encore vaincu par cette journée-là. Et pourtant elle a *compté* quand même, elle vous a rapproché quand même de la mort, alors que seules les journées de bonheur devraient avoir ce droit. J'ai gardé de ce temps un souvenir horrifié, et un grand désir de venir en aide à ceux qui se meurent de vouloir donner, et qui ne trouvent pas à qui donner. Ce cas est dramatique surtout chez les femmes, pour mille raisons bien connues : leur jeunesse qui passe plus · vite, leur dépendance, l'opinion du monde qui les guette, etc. Je vous reprocherais presque de ne pas parler du vôtre avec assez d'énergie, comme si une partie de votre tragédie vous échappait à vous-même.

Comment suis-je sorti de là? Je ne sais pas. Cela s'est « arrangé ». Comment? Eh bien, « comme ça ». Vous me direz que c'est une étrange réponse, d'un homme qui aime voir clair. Mais je n'en puis faire d'autre. La nature, pendant un temps, agit contre moi; ensuite elle agit en ma faveur. Comme le vent qui tourne, dans le sport : tantôt contre vous, tantôt pour vous. Depuis, j'ai fait davantage confiance à la nature.

Pour finir, une comparaison analogue à celle de ma dernière lettre. Un oiseau s'est jeté par mégarde dans une chambre. Il bat de toutes parts, cherchant une issue. Mais il n'y en a pas. Ou il y en a, mais il ne les voit pas, parce qu'un oiseau ne voit pas tout, le pauvre. Soudain, il distingue un filet de lumière. C'est une porte entrebâillée. Il s'y jette et se trouve dans un cabinet de débarras, qu'éclaire une lampe Pigeon. Mais, là encore, pas d'issue, et il bat de nouveau contre les murs. Cet oiseau, c'est vous, et ce cabinet de débarras, avec sa lampe Pigeon, c'est moi (vous retrouvez là ma modestie bien connue).

Car, naturellement, en ce qui regarde nos relations, rien de changé. Moi, vous « prendre » (comme vous dites si bien)? Non, jamais.

Vingt dieux! Pour une fois, ceci est une longue lettre. Croyez à ma sympathie.

C.

P.-S. — J'ai oublié de vous dire que, durant tout ce temps où je ne pouvais « accrocher » de femmes, j'avais quatre petites compagnes de nuit, plus gentilles les unes que les autres, et que j'aimais beaucoup. Je n'étais donc muré que par une construction de l'esprit.

CARNET DE COSTALS

Chez les Piérard. O charmante! Je voudrais la sou-
lever dans mes deux paumes rapprochées, comme une
Vénus marine dans sa conque. Tout à fait à ma
taille : plus petite, je la déborderais; plus grande, il
-y aurait trop de matière. Elle a beaucoup de succès,
qui me flatte comme si j'étais son papa. Danse
avec elle; elle danse en fille si bien élevée que je me
demande si elle ne le fait pas pour me provoquer.

Elle est venue avec les Saulnier. Donc, ni papa ni
maman. Divine absence! Que ne peut-elle durer toujours! Si les jeunes filles savaient ce qu'elles gagne-
raient à être des enfants trouvées!

Pas de désir profond de son corps. Rien de la
tornade du désir (bouche instantanément desséchée,
jambes qui vous quittent, etc.). Un besoin de dire
des mots gentils et câlineurs, besoin né d'elle, mais
ces mots auraient pu retomber sur une autre qu'elle...

Combien chatte, quand elle me regarde mettre la
dédicace sur un livre que je lui avais apporté, comme
si elle s'attendait à voir sortir de mon écriture un
petit oiseau. (Chez moi, j'avais baisé avec respect la
couverture de ce livre que j'allais lui donner.) Tout
à fait la chatte qui, postée sur votre bureau, vous
regarde écrire. Et chatte encore, quand nous étions
assis l'un près de l'autre, et que je sentais son corps
appuyé légèrement contre le mien, comme un ruisseau appuyé contre sa rive.

Moi, la main sur le bras de son fauteuil, dans un geste caressant, et déjà de possession. Elle a posé une fois, mais légèrement et rapidement, sa main sur mon bras. Pourtant très réservée. D'évidence elle est contente de me plaire, mais avec une simplicité et un naturel ravissants. Pas l'ombre de coquetterie, elle si jolie. Très simplement mise, et presque avec négligence. Est-ce une affectation? Elle prétend n'aimer pas le monde, n'aimer pas le luxe, etc. La part faite d'un peu d'affectation, qui est possible, il doit y avoir du vrai, car, étant ce qu'elle est, si elle aimait le monde, on la rencontrerait partout.

Fors ce qu'elle dit concernant son caractère — elle parle de source lorsqu'elle parle d'elle-même, semblable en cela à la plupart des jeunes filles, — rien absolument à retenir de ses propos. Son éducation intellectuelle est nulle. Mais tant mieux : laissons l'instruction aux sots. Une petite qui aurait obtenu quelque diplôme, eût-elle par la suite oublié tout ce qu'elle a appris, il me semble qu'il resterait toujours en elle, comme dans un vase charmant qui contint un jour un liquide nauséabond, la mauvaise odeur de la demi-science qu'elle a jadis ingurgitée.

Elle a vingt et un ans, paraît-il. Mettons vingt-deux. On ne le croirait pas : elle a l'air vraiment jeune.

Elle parle de son père. « Papa s'est intéressé beaucoup, jadis, à l'éducation physique. C'est un convaincu. » — « Est-ce que... est-ce qu'il a des occupations? » — « Non, il ne fait rien... » En disant cela, son embarras était visible. Elle a honte que son père vive de ses rentes! Quand elle a prononcé ce mot, « un convaincu », j'ai eu un frisson, comme si j'avais touché une couleuvre.

Elle parle d'un de ses cousins. Le fait qu'elle ait un cousin me paraît étrange, offensant, presque une provocation. O enfants trouvées!

Moi, aussi mal élevé qu'elle l'est bien. Lui prenant

le gras du bras, la menant au buffet avec les mains à sa taille, cherchant à faire croire *urbi et orbi* qu'elle est à moi. Ma vulgarité, ma grossièreté, ma naïveté dans le contentement de soi. Sous-off de cavalerie. Quelquefois, un homme qui avait un visage intelligent et sympathique, on voit tout d'un coup son visage devenir idiot, son sourire à la fois niais et fat, sa tournure à la fois embarrassée et maniérée. Que s'est-il passé? C'est qu'il vient de rencontrer une femme qui lui plaît. Et, dans son être intérieur, c'est tout de même. Car l'apparition d'une femme qui lui plaît fait baisser à l'instant la valeur de l'homme, aussi nettement qu'un glaçon mis dans un liquide en fait baisser la température. C'est pourquoi quelqu'un qui aime l'humanité ne peut pas aimer les femmes. Mais moi je me moque de l'humanité, et j'aime les femmes.

Je l'inviterais bien au cinéma, mais pour qu'elle voie des films pleins de gigolos nus, merci! Et puis, cela ne convient pas à une jeune personne en 1890. L'Opéra-Comique, par contre, semble s'imposer. Je lui dis que j'ai une loge mardi. « Je vais demander à mes parents et vous téléphonerai. »

Cette loge sera une baignoire, et dont j'aurai loué toutes les places. Malheureusement il faudra compter avec ces brigands de musiciens, et leur rage de faire du bruit. Eh bien! les paroles étant interdites, les gestes en tiendront lieu.

Au fond, je crains qu'elle ne se refuse : parce qu'elle n'a pas le même degré de vitalité que moi.

Le lendemain. — Cette nuit, à une heure du matin, mon cœur battait toujours aussi fort qu'à huit heures du soir quand je venais de la quitter. Et voici que la nature m'a envoyé un rêve où cette enfançonne me trahissait, comme pour que je sache si déjà elle est capable de me faire souffrir. Oh! pas souffert à proprement parler, mais j'en ai eu de la peine.

L'attente de son coup de téléphone : toute la matinée inquiet, me disant que le téléphone s'arrangera bien pour être détraqué au moment où elle appellera, sursautant à chaque sonnerie de vélo dans la rue.

Téléphone. Elle viendra! Quand j'entends sa voix dans le téléphone, le dieu des jardins n'a plus rien à m'apprendre, — alors que, même en dansant avec elle, je pouvais m'écrier comme le prophète : « Tyr, on te cherchera, et on ne te trouvera plus! »

Je songe au temps où cette voix, quand je l'entendrai dans le téléphone, me crispera les nerfs, — où je quitterai la France pour ne plus l'entendre.

Faut-il que ses parents soient mal élevés, pour la laisser sortir seule avec Pierre Costals! Jolies mœurs! Après cela, s'il arrive quelque chose, à qui la faute? Il est décourageant de voir ainsi, dans la France de 1927, tous les principes s'effriter.

Mercredi. — Opéra-Comique. *Madame Butterfly.*
Après Madame Butterfly,
Aïe!

Hier sous-off, aujourd'hui collégien.

Pas un geste de l'objet. Ou plutôt, si, un geste : au deuxième acte, il a écarté un peu sa chaise de la mienne. L'objet serait-il honnête? Cette pensée m'a donné froid dans le dos. J'ai laissé tomber les bras : « Tout est à faire!... »

Paralysé. Par sa réserve. Par le ridicule du romancier qui embrasse une jeune fille dans une baignoire, à l'Opéra-Comique. J'ai voulu « faire 1890 », mais j'ai été trop loin. Un mot indiscret de l'ouvreuse avait indiqué que j'avais retenu la baignoire en entier; comment l'objet aurait-il pu ne pas comprendre? Ridicule de cette soirée trop apprêtée.

Tout le sentiment de ma supériorité sur elle, à tant de points de vue, ne parvient pas à me faire sortir de la tranchée. Il s'obnubile, et je ne vois plus que cela en quoi je lui suis inférieur : elle a vingt ans, et elle est jolie. Et moi je suis un intellectuel, une vieille marmite à penser de trente-quatre ans.

La conversation, un vrai marécage de platitude. Je regardais ses mains, comme si j'espérais qu'elle allait se mettre à les tordre, dans l'anxiété de voir que je ne me déclarais pas. Quand je lui dis : « C'est follement rasoir », elle répond : « Oui. » Ce « oui » me perce; j'attendais sans doute qu'elle se jetât dans mes bras en me disant : « Auprès de toi, rien peut-il être ennuyeux, ô mon adoré? » La situation devient si intolérable que je propose qu'on s'en aille. Elle dit « oui » de nouveau sans ambages, ce qui me perce une seconde fois. (Comme elle est enfantine dans ses « oui »! L'intonation d'une poupée à qui on presse sur le ventre.) Nous sortons, devant les ouvreuses, dont les visages expriment puissamment cette pensée : « Eh bien! en voilà deux qui ont dû s'en payer! Mais ils n'y peuvent plus tenir, et en route pour l'hôtel. »

Bref : la douche dans la baignoire.

Cette soirée a apporté au moins deux certitudes : qu'elle n'est pas amoureuse de moi, et que je ne suis pas amoureux d'elle.

Peut-être était-ce qu'aucun de nous ne voulait démarrer le premier, comme les coureurs au vélodrome. Peut-être a-t-elle agi par calcul, pour me tenir en haleine. Alors calcul imprudent, car je ne sais ce qui me retient de la planter là. Je ne suis pas homme à insister si une femme se défend; une de perdue, cent de retrouvées; tout cela est interchangeable. J'aime sentir que je ne l'aime pas davantage, et qu'ainsi je reste libre : je prends de cette amusoire ce que je veux.

Si l'échec d'aujourd'hui n'est pas une catastrophe dont on ne peut se relever, il est un fin fond d'où l'on jaillirait plus haut. Quel bondissement, avec l'élan pris dans ce recul! En fait je vais lui écrire : ainsi nous ne quitterons pas le genre collégien. Par cette lettre, je retourne la situation, lui rends l'initiative, la mets au pied du mur. J'ai abattu ma carte, à elle d'abattre la sienne.

La morale de l'honneur, ou seulement des convenances, a été faite pour donner un double exactement contraire à la morale naturelle, et nous permettre ainsi de gagner à tout coup, tantôt sur l'un tantôt sur l'autre tableau.

Si Rosine est un laideron, et qui nous attaque, en avant la morale naturelle : « Moi, je serais cet infâme! Faire cela à votre vénérable père! (ou à votre époux, mon meilleur ami!). » Mais si elle est charmante et se garde : « Non, je ne serai pas ce malotru, qui auprès de vous resterait insensible. Je ne vous ferai pas cet affront. »

On retrouve ces deux tableaux dans tous les ordres. Si on est insulté : « Quoi, je tuerais, pour une pareille bêtise? Est-ce cela que demande la morale? » ou bien, à l'inverse : « J'ai tué parce que j'étais insulté. Mon honneur... » Etc.

PIERRE COSTALS
Paris
à

Mlle SOLANGE DANDILLOT
avenue de Villiers,
Paris.

12 mai 1927.

Reconnaissez, Mademoiselle, qu'hier soir ce n'était
pas ça, et que nous donnions même un spectacle affli-
geant. Vous m'avez très intimidé, — glacé. L'avez-
vous fait exprès? Ou si c'est moi qui suis un bourricot?

Je ne vous apprendrai pas, je pense, que j'ai une
sympathie presque particulière pour vous. Si elle
vous importune, restons-en là. J'en aurai du regret,
peut-être une pointe de peine, mais enfin je ne veux
pas faire l'indiscret, et le monde après tout est assez
vaste. Si au contraire, en fille intelligente, vous
souhaitez que nous tentions de nouveau la chance,
dites-le-moi. Mais alors il faut me dire aussi que vous
me permettez une certaine familiarité avec vous,
et le moindre de ces mouvements que non seulement la Nature, mais la Société même, attendaient
hier soir de nous; ces hautes personnes morales sont
actuellement dans la stupéfaction et dans le courroux
causés par notre attitude; il ne tient qu'à nous de les
apaiser. Il faut seulement que vous me marquiez
en clair vos intentions, car je ne me sens pas prêt à
vous donner une amitié qui reste sur le plan des
anges, et par ailleurs je me sens moins prêt encore

à être dédaigné d'une femme, ce qui de ma vie ne m'est arrivé [1].

Écrivez-moi ou téléphonez-moi. Mais j'aimerais mieux une bonne lettre, cela est plus solide. Sans compter tous les avantages de la chose écrite; je me comprends, si vous ne me comprenez.

Encore une fois, sans billet ou sans coup de téléphone, me disant si j'ai bien agi hier soir, ou si j'ai agi en maladroit et en malappris, nous ne nous reverrons plus. Cela dépend uniquement de vous.

Au revoir, ma petite Mademoiselle, ou adieu. Je suis peut-être prêt à éprouver pour vous un sentiment qui ait un soupçon de profondeur (mais je n'en suis pas encore tout à fait sûr). Il y a là une velléité qu'il serait malheureux de laisser perdre. Voyez si elle vous déplaît, ou non, sans vous occuper de mon plaisir, en ne consultant que le vôtre. Et dites-le-moi avec la même franchise et la même confiance que je me pique de vous témoigner ici.

Costals.

ÉCRIT PAR COSTALS DANS SON CARNET

Lui ai envoyé une lettre pas fameuse. N'est-il pas singulier que, lorsqu'on s'adresse à une inconnue ou demi-inconnue, qui vous plaît, on n'échappe au style calicot que par la passion ou par le cynisme? Le langage de la passion étant hors de cause, ce poulet est un compromis entre la fadaise et l'impertinence. Elle aimera la fadaise, ne sentira pas l'impertinence, et m'appellera dans les vingt-quatre heures.

(En réalité je n'en sais rien du tout. Je suis incapable de prévoir quelle sera sa réaction dans un cas

---

1. Il ment.

donné. Quand j'agis avec elle, j'ai l'impression que je suis le Quai d'Orsay : je fais tout à tâtons et à la grâce de Dieu.)

Il y a pour moi quelque chose de poignant, à imaginer le bonheur que j'aurais donné à d'autres femmes, avec une pareille lettre, et que je leur ai refusé. Et ce sentiment a bien du charme.

Que je lui trouve du charme tendrait à me faire croire que je suis une vache. Suis-je une vache? Pourtant Brunet, par exemple, me fait des compliments : « Alors tu crois pas que c'est chic, d'avoir un paternel comme toi? » Même, il s'étonne : « Pourquoi que tu es gentil? »

C'est qu'il y a les êtres que j'aime, et ceux que je n'aime pas. Ça a l'air trop simple. Et c'est la clef.

Non, le cœur n'est pas pris, ni la chair, mais quelque chose est pris. Quel sourd et passionné désir se lève peu à peu en moi, de lui plaire! Si j'entendais dans sa voix un frémissement...

Mlle Dandillot n'envoya pas une lettre « solide ».
Elle téléphona. Le sens de sa réponse fut : « J'avoue
n'avoir pas compris très bien votre lettre. Mais
j'ai beaucoup de sympathie pour vous. Pourquoi ne
nous reverrions-nous pas? » Ils convinrent d'aller au
concert. Costals choisit le plus cher de Paris, car,
lorsqu'on est avec une femme, il ne s'agit pas que ce
soit bien, mais seulement que ça coûte beaucoup
d'argent.

L'arrivée des dames choristes sur la scène évoqua
une sortie de détenues, à la porte de Saint-Lazare :
vieilles, difformes, sinistres, fagotées incroyablement.
Les musiciens s'installèrent, gringalets à courtes
jambes, le mouchoir au cou comme des dîneurs :
froggy for ever. Les efforts de ces malheureux pour
se donner l'air d'artistes (mèche sur la tempe, cheveux dans le cou, etc.) étaient à faire venir les larmes
aux yeux. Tout cela, assis sur des chaises de jardin,
en fer, devant un décor insensé de salle de patro-
nage — « feuillages » sordides et « pilastres » déchirés,
— constituait un spectacle qui paraissait si féerique
à certains assistants, qu'ils le regardaient avec la
lorgnette [1].

[1]. Est-il besoin de marquer que ce chapitre est une sorte
de galéjade, écrite par quelqu'un qui se donne de temps en

— Si la musique adoucit les mœurs, dit Costals, elle n'ennoblit pas les visages. Ils sont là une soixantaine de musiciens; je comprends donc qu'on ne puisse demander à chacun d'eux d'avoir le génie peint sur la figure. Mais pourquoi ne leur met-on pas des masques, comme dans le théâtre antique, ou pourquoi ne les cache-t-on pas dans une fosse, comme à Bayreuth?

Monsieur était bien délicat. Cependant Solange approuvait. Mais il sentit qu'elle était dans une disposition à approuver tout ce qu'il dirait. Il porta les yeux sur l'assistance, et l'extraordinaire laideur de ces hommes et de ces femmes, la décoration désuète, grotesque et crasseuse de la salle, firent fuir son regard. Vraiment chassé, son regard glissa, monta vers le plafond, dans l'espoir d'y trouver peintes les figures d'une humanité noble. Mais au plafond encore il n'y avait que du plâtre doré et tarabiscoté, noirci par la crasse comme par de la fumée d'usine : c'était visible, dans cette salle des générations avaient respiré. Si Costals n'avait pas été avec Solange, il fût parti sur-le-champ : il était déjà au delà de ce qu'il pouvait supporter.

Bientôt, les commutateurs tournés, la lumière fut intense sur la scène et dans la salle. C'était une idée monstrueuse; l'une et l'autre, au contraire, auraient dû être plongées dans la nuit.

temps un *coup de soleil*, et qu'on ne s'en formaliserait pas sans manquer d'esprit? On peut faire la caricature de ce qu'on aime, et avec d'autant plus de pointe qu'on l'aime davantage. Que n'ai-je ou n'aurai-je écrit sur l'Algérie et sur l'Espagne! Sympathie pour les amateurs de musique, reconnaissance pour les musiciens : sur un terrain aussi solide que celui-là l'est en moi, je puis bien faire quelques cabrioles. Et je crois me souvenir qu'en d'autres de mes livres j'ai parlé de la musique (musique d'église, musique russe, espagnole, arabe, etc.) avec un sérieux et une émotion qui devraient, s'il le fallait, me faire pardonner ces pages-ci.

Comme on tardait à commencer, il y eut un peu d'impatience, on frappa de la semelle. Mais au bout de huit secondes tout s'était apaisé. Puis de nouveau une petite crise, aussi courte. Curieuses bouffées de mauvaise humeur dans cette foule, curieuses par leur brièveté. Même une bouffée de patriotisme aurait duré quelques secondes de plus.

Enfin le chef d'orchestre abaissa sa baguette, et toutes les personnes qui étaient sur la scène se mirent ensemble à faire du bruit.

Les musiciens, avec frénésie, tricotaient de l'archet, et il semblait à Costals qu'il sentait d'ici l'odeur d'aisselles des femmes violonistes, et il en était ému; c'était ce qu'il y avait de mieux dans le spectacle, pensait-il.

Solange, assise de biais, s'était rapprochée de lui. Il caressa son cou, uni et net. Il remarqua qu'elle avait mis son visage tout près du sien, comme pour entrer dans son atmosphère. Des îlots de peau apparaissaient ici et là dans sa chemisette, comme des bancs de sable dans un chott blanc de sel. Les traits de son visage qui ne lui plaisaient pas, il les voyait comme les portes de secours d'une salle, par où le cas échéant on pourra s'échapper, ou comme les clauses équivoques d'un contrat : c'était ce menton un peu lourd qui lui permettrait un jour de la quitter le cœur léger. Il la baisa sur la nuque, sans qu'elle bronchât (l'odeur de petite fille de ses cheveux). Et son sang bruissait comme un feuillage, tandis qu'il suivait de la main, par-dessus sa robe, ses jarretelles et ses longues cuisses. Il était surpris qu'une fille si sérieuse se laissât caresser les cuisses en public. Il n'avait pas compris que, déjà, elle voulait tout ce qu'il voulait.

— Je trouve que ce premier mouvement (de la symphonie) a quelque chose... comment dire? d'oppressant, dit Mlle Dandillot, qui était oppressée en effet, mais pour d'autres raisons. — Et vous?

— Moi, je ne trouve rien. Voyons, franchement, vous aimez la musique? lui demanda-t-il après un instant, avec un air soupçonneux.

Elle haussa les sourcils, ayant l'air de dire : « Comme ci, comme ça... » Elle ajouta :

— Ce que je n'aime pas, c'est la musique d'église.

« Ah! pensait-il, quelle absence de pose! Décidément, ce qui me ravit en elle, c'est qu'elle ne s'intéresse à rien. Comme ça, elle ne cherche pas à vous éblouir de sa spécialité. Et qu'elle n'a pas d'idées, ce qui est la plus sûre façon pour une femme de n'en avoir pas de fausses. »

Il l'enlaça. Elle était toute de biais maintenant, comme posée le long de lui. Il feignit de ramasser par terre quelque chose, et baisa son corps, sentant à travers la jupe l'odeur de caoutchouc de sa ceinture. Par moments, il restait le visage appuyé sur sa nuque, comme pour laisser entrer en lui, lentement, tout ce qu'il y avait dans cette femme. « Non! se disait-il, avec enthousiasme, jamais, jamais personne ne s'est tenu en public, avec une femme, aussi mal que moi! » Il était content de penser que, s'il avait vu un couple se tenir ici comme il le faisait, il eût dû se contraindre pour ne pas l'interpeller : « Dites donc, il y a des hôtels! » Toujours il avait aimé se donner des démentis, par lesquels il se rappelait au sentiment jovien de sa diversité.

En se penchant un peu en arrière, il voyait, derrière le dos de Solange, la jeune femme qui était assise à côté d'elle; adossée dans son fauteuil, elle écoutait, bouche entr'ouverte et les yeux clos. Elle n'était pas jolie, mais Costals la désirait : 1°, parce qu'il trouvait convenable que, dans la même minute où il caressait pour la première fois une jeune personne, il en désirât une autre; 2°, parce que, donnant l'apparence du sommeil, il était impossible qu'elle ne levât pas en lui la pensée d'abuser de ce sommeil; 3°, parce qu'il lui semblait que, pour éprouver une telle extase d'un phénomène aussi insipide que cette musique, il fallait qu'elle fût détraquée; or, il n'aimait que les filles saines et simples, comme Solange, c'est pourquoi cela lui était agréable, d'avoir envie d'une femme détraquée.

Soudain, la jeune femme rejeta follement la tête en arrière, comme l'oiseau caracara, lorsqu'il termine son cri, avec l'expression même de la volupté. Il était visible qu'un de ces sons s'était enfoncé en elle, à l'endroit le plus sensible.

Costals passa donc son bras derrière le fauteuil de Solange, et posa sa main sur le dossier de l'autre fauteuil, de façon que l'épaule de l'inconnue s'y appuyât. Mais les pressions légères qu'il imprima à sa main ne provoquèrent aucune réaction de la jeune femme, perdue tout entière dans les demi-croches. Il abandonna l'affaire. Et d'ailleurs, cette gymnastique lui donnant une crampe au bras, le jeu n'en valait pas la chandelle. Supposé qu'il existe une personne assez sotte pour croire qu'il s'était agi là d'un resquillage, d'une manœuvre de sacristain, sournoise et honteuse, on la confondra en lui répliquant : 1º que Costals voulait amorcer réellement une aventure sérieuse, une rencontre avec l'inconnue; 2º que le fait d'amorcer cela sans éveiller l'attention de Solange (par exemple, en passant à l'inconnue un billet derrière le dos de Solange) était du beau sport, une de ces performances pendant lesquelles l'orchestre s'arrête, au cirque, et qu'ainsi ce n'était pas là travail de sacristain, mais plutôt travail d'archange.

Sur la scène le bruit cessa, et on applaudit, non sans qu'il y eût toutefois, chez quelques spectateurs, des mouvements de haine à l'égard de ceux qui applaudissaient.

Ensuite la musique prit une tournure telle qu'il devint bien évident que c'était là du beau classique.

— Et ça, vous l'aimez? demanda Costals à la jeune fille.

— Ça ne me gêne pas.

— Ça ne vous... Énorme! Franchement énorme!

— Vous ne comprenez pas, dit-elle, un peu piquée. La musique cubiste qu'on a jouée avant celle-ci m'horripilait. Tandis que, celle-ci, elle ne me gêne pas.

— Je vois que vous vous en fichez éperdument, dit Costals, et c'est très bien ainsi. Vous êtes une brave enfant.

— Mais je ne m'en fiche pas! dit Solange, pleine du génie féminin de gâcher ses avantages.

— Si, si, dit Costals, toujours chevaleresque, vous vous en fichez éperdument. Mais de nombreux « chut! » s'élevèrent.

Soudain des cris affreux retentirent sur la scène. On eût dit une femme qui, dans l'instant même où elle accouche, apprend à la fois qu'elle vient de perdre sa fortune, et qu'elle est abandonnée par son amant. Sous ces glapissements, Costals crispa le visage, avec le geste instinctif de se boucher les oreilles, mais la salle éclata en un tonnerre de bravos : des dissentiments aussi profonds indiquent à un homme que sa place n'est plus dans une société. Costals se rappela les pages vraiment *immortelles* de *la Nouvelle Héloïse*, sur la conception que les Français se font de la musique. « Ils n'imaginent d'effets que ceux des éclats de voix; ils ne sont sensibles qu'au bruit », écrit Rousseau. Il eût ajouté aujourd'hui : « Et aux records. »

— Je trouve que les femmes ne sont pas faites pour chanter, dit Solange. « Serait-ce profond? se demandait l'écrivain. Mais qu'est-ce que la profondeur? Un pot de chambre aussi est profond. »

Des voix éraillées (de jeunes gens?) criaient *bis!* et on claquait toujours des mains. Les manifestations publiques de l'admiration, en Europe, sont à peu près celles qu'on attendrait des sauvages de l'Océanie. Trois, quatre fois, les chanteurs revinrent saluer. Et Costals pensait : « Pauvres types! » Le chef d'orchestre, qui était extrêmement charlatan (pour quoi il plaisait, surtout aux femmes) sortit de scène et y rentra plusieurs fois, sans doute pour recevoir plusieurs rations d'applaudissements. Ces rentrées en scène étaient véritablement des entrées de clown. Toute la salle, cependant, nageait en plein sublime.

Ensuite, comme pour guérir les tympans, les génies musiciens, enfin ces employés des postes, ne jouèrent plus qu'en sourdine : on aurait dit une harmonie de clysopompes. Il y eut même des moments où, à la lettre, on n'entendit plus aucun son. Ces moments furent magnifiques.

Costals regardait l'assistance. Elle était composée pour un tiers de gens qui jouissaient spontanément des bruits qu'ils entendaient; pour un tiers, de gens qui n'en jouissaient que par une opération de l'esprit, se souvenant de tout ce qu'ils avaient lu et entendu sur ce morceau; l'autre tiers étant de gens qui ne ressentaient rien, mais ce qui s'appelle rien. Tous cependant, pour recevoir la manne, prenaient les poses les plus distinguées. Des porcs à binocle feignaient que le moindre chuchotement dans la salle leur gâchât leur extase. Des porcs à lunettes se penchaient vers leur lardonne (car on voyait dans la salle des enfants de six ans, amenés là sans doute en punition de quelque faute très grave), pour lui signaler tel passage sacro-saint, afin qu'elle sût une bonne fois que c'était là qu'il fallait être émue. Beaucoup de femmes, comme la voisine de Solange, pensaient qu'il serait inconvenant de se tenir ici autrement que les yeux fermés. Une singerie unanime portait les auditeurs à s'imiter les uns les autres dans leurs airs pénétrés, tandis que de la scène la glaire sonore continuait à s'épandre, intarissablement.

— Ce sont des vicieux, dit Costals, promenant sur la salle un regard de réprobation. Sans parler des nigauds, car l'âne demande du son. En tout cas, un endroit malsain, et je ne voudrais pas prendre la responsabilité de vous y chaperonner plus longtemps. Voulez-vous que nous partions?

— Oui.

Toujours ses « oui »! Sur deux notes. Il lui eût dit : « Restons », ou « Venez chez moi », ou « Partons pour le Kamchatka », il lui semblait qu'elle eût dit ce même : « Oui. » Et quand il se le disait à part soi, avec l'intonation qu'elle y mettait, quelque chose lui bougeait dans le cœur, comme un oiseau dans un nid.

Ils sortirent donc de ce temple de l'autosuggestion collective. Costals se souvenait que, lorsqu'il avait douze ans, sa grand-mère l'avait mené dans un autre temple de la même espèce. On y jouait *le Malade imaginaire*. Quand on en était arrivé à la scène où les acteurs se poursuivent dans la salle, la vieille dame, qui avait donné depuis le début des signes d'impatience, s'était levée : « Allons-nous-en, va. C'est par trop bête. » Inoubliable impression, dans un enfant qui n'avait déjà que trop de tendance à juger par soi seul. Il y avait là une famille où les idées reçues ne mordaient pas.

Il eût pu prendre un taxi, mais préféra la reconduire chez elle à pied : tous deux ils avaient besoin de se remettre. Il était si sûr d'obtenir d'elle tout ce qu'il voudrait, qu'il jugeait utile de se conserver une espérance pour la fois prochaine : que resterait-il d'elle, quand il l'aurait prise? D'ailleurs, c'était chez lui un principe, qu'un homme d'une certaine qualité doit laisser passer quelques occasions. Habitué à ce que tout lui réussît, il se piquait de donner sa chance au sort contraire.

Non loin de sa maison, il l'arrêta, sous un réverbère, et il était debout devant elle, la tenant par le gras des bras. Elle devina sans doute qu'il allait la baiser, car — timidité ou pudeur — elle recula de quelques pas pour se mettre dans l'ombre. Il la rapprocha de lui; elle avait les bras ballants, et ne tendit pas le visage. Comme il se penchait, pour la baiser sur la bouche, elle baissa brusquement la tête, si bas que la bouche de Costals ne trouva que l'orée de ses cheveux. Il lui releva la tête, d'un doigt au menton, la baisa sur le front, sans qu'elle fît un geste. Un peu douché, il se remit en marche, et elle le suivit. Il dut se forcer un tantinet pour avoir l'air gentil lorsqu'il lui demanda : « Voulez-vous que nous allions au Bois après dîner, vendredi? » Le visage avenant, mais tout calme, elle acquiesça. « Vous avez le nez brillant, lui dit-il, poudrez-le. »

Mlle Dandillot, sitôt que Costals lui eut tourné le dos après l'au-revoir, sans nullement le suivre des yeux jusqu'à ce qu'il eût disparu, comme il eût été classique qu'elle fît, pressa le bouton de la porte cochère, et gravit l'escalier, l'ascenseur ne fonctionnant pas. Dès l'instant où elle commença cette montée, elle eut une intuition très pénible qu'elle ne parviendrait pas au quatrième, où elle habitait, sans que quelque chose ne se passât, qu'elle redoutait sans le définir. Elle monta, d'une main tenant la rampe, de l'autre gardant contact avec le mur, contre lequel glissait son sac à main, dont elle érafla le cuir sur un clou. Elle atteignit la porte de son appartement, comme un nageur épuisé atteint la bouée, ouvrit, alla jusqu'à sa chambre, s'assit sur son lit. « Qu'est-ce que j'ai? » dit-elle, faisant une grimace. Le dernier tramway de minuit, passant à toute vitesse, mit en bas un vacarme; elle contracta le visage, dit encore à haute voix : « Oh! ces tramways! », contracta encore le visage en entendant le klaxon d'une auto. Alors elle crut qu'elle avait laissé allumée l'électricité, non seulement dans l'antichambre, mais même dans les pièces où elle n'avait pas été; elle y alla. Tout son corps maintenant était parcouru par une vibration analogue à celle qui secoue un vapeur, aux moments où, par suite d'un fort tangage, l'hélice

tourne hors de l'eau. Elle se coucha, les mains cris-
pées aux bords du matelas, roula à droite, puis à
gauche, comme le cadavre d'un chien que fait rouler le ressac. Elle se leva, retira sa robe avec tant
d'impatience qu'elle ne la dégrafa pas, et que sa tête
y resta prise. Elle saisit sur la table un magazine,
le déchira en deux, toujours le visage contracté, et
déchira les morceaux encore en deux. « Est-ce que je
vais avoir une crise de nerfs ? » Brusquement le cœur
lui tourna, elle se sentit pâlir; elle alla vers la glace,
avec une sorte de secret désir de se faire peur à elle-
même; puis un violent haut-le-corps la jeta vers son
lavabo, et, s'agrippant d'une main au lavabo, de
l'autre se soutenant le front, elle vomit.

Quand elle se sentit mieux, elle mit sa robe de nuit
et s'étendit sur son lit, sans tirer ses souliers. L'amour
de Costals se confondait en elle avec le soulagement
d'avoir vomi. Une phrase s'inscrivit dans sa tête,
mystérieuse et nécessaire comme les paroles inscrites
dans les phylactères : « Il m'a laissée dans une paix
profonde. » Toute sa vie, jusqu'à ces jours derniers,
lui semblait une grande étendue plane et heureuse.
Puis un obus était tombé. Et maintenant le paysage
en était changé, bouleversé; pourtant le calme et la
lumière restaient les mêmes sur ce paysage. Elle se
retourna, s'allongea complètement sur le ventre, dans
une position (très petite fille) qui lui était familière,
enfonçant ses avant-bras sous le traversin pour y
chercher le froid, comme lorsqu'on les enfonce dans
le sable du désert, toujours plus froid à mesure qu'on
y descend davantage. Elle se redit : « Il m'a laissée
dans une paix profonde », fit tomber ses souliers, en
les frottant contre le rebord du lit. Puis elle alla
prendre sur un rayon le roman que lui avait donné
Costals. Et elle se coucha, éteignit, tenant le livre
qu'elle avait glissé sous son drap, un doigt passé
entre les pages.

15 mai 1927.

N.-S. [†] J.-C.

Mon Bien-Aimé,

Je souffre, j'ai des tentations, je souffre. Hier, à
l'office, pendant que le prêtre disait les litanies de
la sainte Vierge, moi j'y entremêlais les vôtres. « Cœur
très doux. Cœur sauvage. Cœur admirable. Cœur sans
flétrissure. » Et je me disais que je devrais ajouter :
Miserere mei, « Ayez pitié de moi. »

Ayez pitié de moi, Monsieur, je suis une pauvre
fille. C'est la pitié qui est le miracle, et non pas que
Notre-Seigneur marche sur les eaux. La pitié suffit
et se suffit. Je crois qu'elle peut se passer même d'un
objet.

Prenez-moi sur vos genoux, afin que je ne meure
pas.

Marie.

Écrivez-moi pour me dire que vous avez pitié de
moi.

ANDRÉE HACQUEBAUT
Saint-Léonard

à

PIERRE COSTALS
Paris.

Mardi, 19 mai 1927.

Votre dernière lettre s'est croisée avec la mienne.
Elle abat ma rancune sans ranimer ma ferveur. Vous
avez une façon d'irriter les plaies que vous prétendez
guérir... Vous excellez à distiller à la fois le suc et
l'acide, à lécher et à mordre en même temps, comme
les fauves. Le fond de votre nature est-il bon, et si
c'est une intelligence perverse qui le corrompt? Est-il
mauvais, tandis que vous gardez assez d'honnêteté
pour avoir des remords? Jouez-vous à être bon, ou
jouez-vous à être mauvais, ou jouez-vous seulement?
C'est peut-être une loi terrible, que l'homme supérieur prête ou se prête, et ne se donne jamais. Vous
l'avez d'ailleurs écrit : « Un créateur qui se quitte,
s'abdique. » Mais vous, vous poussez jusqu'au raffi-
nement l'art de se reprendre. Tout ce qui naît de
vous est mêlé, a double face. Et le plus troublant
est que la première impression que vous donnez, à
tous, est celle de la simplicité et de la droiture. Vous
versez tour à tour, presque ensemble, le poison et
le remède, mais de façon assez savante pour qu'on
ne soit ni tué par le poison, ni guéri tout à fait par
le remède. On reste dans un état ambigu, qui serait
à lui seul une souffrance, alors même que les élé-

ments de souffrance n'y domineraient pas. Avant
votre dernière lettre, je m'appuyais sur mon horreur
pour vous : car votre billet précédent était un chef-
d'œuvre de méchanceté pure et simple. (Cette banalité suprême, la méchanceté, chez un être qu'on a
mis au-dessus des autres. Et tout ce temps passé à
lutter l'un contre l'autre, quand il pourrait l'être à
lutter côte à côte!) Cette horreur avait quelque chose
de solide, où je trouvais presque du repos. Votre dernière lettre — abstraction faite du post-scriptum,
qui doit être une plaisanterie — montre tant de
compréhension qu'on ne sait plus... On a malgré soi
un mouvement vers vous, de petite sœur à grand
frère, — ce mouvement qui m'était familier autrefois.
Vous me poignardez, et c'est auprès de vous que je
suis tentée de chercher refuge. Ensuite on se dit :
« S'il comprend si bien, et s'il ne veut rien faire pour
me sauver, il n'en est que plus criminel. » On vous
en veut davantage, et cependant on ne peut s'empêcher d'avoir en vous une sorte de confiance insensée. On ne peut ni vous détester pleinement, ni vous
aimer pleinement : on vous chérit dans une fumée
de réprobation et de colère, on vous déteste sans
être sûre que cela ne soit pas de l'amour. Est-ce cela
que vous avez voulu, vous, faux passionné, si maître,
au contraire, de tout ce que vous faites? Êtes-vous
une sorte d'alchimiste satanique, qui composez les
sentiments que vous souhaitez qu'on ait pour vous,
aussi glacialement que vous dosez ceux que vous
avez pour les autres? Ou tout cela est-il chez vous
spontané, naturel, naïf, inconscient? Toujours est-il
que j'ignore comment vous êtes pour ceux qui ne
vous aiment pas, mais je sais ce que vous êtes pour
ceux qui vous aiment. *Flagellum amantibus* : un
fléau pour ceux qui l'aiment.

Quant à moi, si vous jouez avec moi un jeu abominable, ce que j'incline à croire en ce moment-ci (pré-
cisons bien : dans l'instant même où je trace ces

lignes, car à d'autres instants je me dis que vous n'êtes qu'un enfant, juxtaposé à un homme riche d'une grave méditation et d'une lourde expérience, Faust et Eliacin inextricablement mêlés, c'est-à-dire un monstre; mais, si vous êtes ce monstre, vous n'en êtes pas responsable et vous êtes pardonné), si vous jouez en toute lucidité ce jeu avec moi, je vous dis simplement : je ne suis pas assez forte pour vous, je fais « pouce ». Et d'ailleurs je ne suis plus dans le jeu. Vous m'avez été jadis un élément de fécondité intérieure, de vitalité, de tourment actif. A présent il n'y a plus rien. Vous desséchez tout, comme le vent. Vous avez momifié la tendresse si fraîche, si profonde, si absolue que j'avais pour vous. Vous avez été une sorte de gelée blanche : vous avez fait avorter des sentiments qui, épanouis, eussent pu donner des fruits admirables. Au point que vous m'avez enlevé (de cela au moins vous m'avez guérie) le chagrin et la peur de vieillir. Je voulais rester jeune pour le temps où j'aimerais et serais aimée, parce que, à mon goût, une femme de quarante ans, dans un lit... Désormais, que m'importe? Maintenant il y a des moments où il me semble que je ne peux plus rien vous donner du tout, des moments où, quand je recherche tout ce qui fleurissait en moi pour vous, il me semble que vous avez arraché jusqu'aux racines, et que vous pourriez tomber malade, mourir, sans que cela me fît rien. Sincèrement, à Paris déjà, je n'ai pas eu tant de peine à vous quitter. Je suis rentrée. J'étais ivre d'une sorte de délivrance. J'ai été presque heureuse, par comparaison, pendant huit jours. Aussitôt arrivée, j'avais retiré votre portrait du mur de mon studio. Mais c'était plutôt par acquit de conscience. Ensuite, je l'ai remis. Pourquoi pas? Il ne me causait ni bien ni mal. Je me vois vous écrivant un adieu solennel, et, la prochaine fois que je passerai par Paris, vous demandant de m'embrasser comme une sœur, qu'au moins j'aie eu un baiser de vous. Ce serait la seule chose que je vous aurais jamais demandée. Car, sachez-le *une fois pour toutes*, je n'ai jamais rien mendié de vous, ni votre présence, ni votre amitié, ni votre intimité, ni votre amour. Je vous ai offert, et vous avez dédaigné; c'est bien différent. Mon orgueil pouvait offrir. Il se serait refusé à demander.

Mercredi.

Je vous l'ai dit : maintenant, à votre égard, c'est prostration et sécheresse; cela même que vous avez voulu. Et cependant, cette sécheresse, c'est encore un sentiment, c'est encore de trop dans ma vie. Tant que je vous aurai dans ma vie, tant que je n'aurai pas rompu tout ce qui me relie à vous, je ne serai pas disponible pour un autre être. Je ne dissocierai *jamais :* mon corps à un autre, mon cœur à vous. Et, si un autre me donne ou me permet l'amour, ou son simulacre, je ne vous garderai pas mon amitié. (Perdu pour perdu... Car, avoir d'un homme ce que j'ai de vous, c'est l'avoir déjà perdu. Rien dans le présent, rien dans le souvenir, rien dans l'avenir... Et puis, une femme ne donne plus son amitié à l'homme qui l'a refusée.) Vous êtes le seul ami que je ne pourrais pas garder dans une vie normale. Costals, l'ami de la famille, l' « oncle gâteau » de mes enfants : ça, jamais! Mon sentiment a pour revers le néant, comme vos excès de jouissance ont pour revers le jansénisme. Vous me serez l'amour perdu, pas l'amitié. Vous ne ferez pas du torrent un canal d'irrigation, du cheval sauvage un cheval de labour. Or, cette vie normale où vous ne pouvez pas être, j'en ai tellement besoin en ce moment, j'ai tellement besoin d'étreindre enfin une réalité et non des rêves, tellement besoin de serrer dans mes bras un homme ou un enfant à moi, j'aurais tant de reconnaissance au brave garçon acceptable qui me permettrait de l'aimer, que je serais sienne tout entière, de volonté du moins. Bien plus, moi qui n'aime guère les enfants, j'en arrive à désirer, de désespoir, un enfant et pas de mari. Parce que, puisque l'homme ne veut pas être aimé, et qu'on ne peut pas le supporter si on ne l'aime pas, il n'y a donc que l'enfant pour sortir de soi. Et ainsi, de toute façon, je n'aurais plus besoin de vous. Oui, j'aimerais mille fois mieux avoir un être cher dans mes bras, *même s'il ne m'aimait pas du tout*, que sa plus pure et plus exclusive tendresse, lui absent.

Vendredi.

Je n'en peux plus, et je n'en peux plus. Un être contient une certaine capacité de souffrance; au delà, il meurt ou il se délivre n'importe comment. La souffrance ne peut pas éternellement demeurer la souffrance; elle se mue en autre chose. Voilà quatre mois — depuis Paris — que vous me faites vivre dans une maison en flammes; il fallait que j'y meure asphyxiée, ou que je saute par la fenêtre et me casse les reins, ce que j'ai fait.

Je n'implore pas, je n'implorerai jamais quoi que ce soit de vous. Mais je vous le redis sérieusement, irrévocablement : si je dois renoncer à l'espoir d'être vôtre un jour, la vie n'a plus de sens pour moi. Quand même, Costals, quand même, il faut bien que je vive! Dans ces centaines de lettres que je vous ai écrites, il n'y a donc pas une seule phrase qui en ce moment puisse vous ouvrir le cœur! Je veux encore espérer, me persuader que votre attitude est causée par des scrupules. Quand vous comprendrez, dans six mois, dans un an, que vous brisez ma vie, peut-être que... Peut-être que d'ici là vous m'aimerez. Peut-être que vous aurez cessé de croire que je suis une « personne très bien », qu'on ne saurait « détourner » sans mal agir. Peut-être que la curiosité vous sera venue, de mon corps et de ce qu'il peut vous donner. Si vous m'aviez rencontrée dans un wagon de chemin de fer, peut-être que, pour le piquant de l'aventure... Si je ne vous avais pas aimé, et vous avais blessé, mis en colère, peut-être que vous m'auriez fait violence, pour le seul plaisir de me vaincre et de me dominer... (Il est vrai que, si je ne vous aimais pas, je n'aurais pas envie d'être à vous.) Je peux attendre encore. A un ou deux ans près... Ma jeunesse n'est pas finie. Je ne parais pas mon âge, on me l'a dit bien souvent. Si je ne vous avais pas avoué cet âge, vous me croiriez plus jeune. Vous ne voyez en moi qu'une provinciale en noir, une intellectuelle pondérée. Et si j'étais un peu heureuse, fût-ce d'illusion, il y aurait encore en moi tant de gaminerie, et un tel épanouissement...

A votre égard, je peux le plus et ne peux pas le moins. Je vous l'ai dit : je n'éprouve plus rien pour vous, rien de vivant, rien qui bouge. Mais que vous bougiez vous-même, *cela* bougera. Car ce qui est encore latent au fond de *cela*, ce n'est pas de l'amitié, c'est de l'amour : il pourrait éclater encore, comme une flamme jaillit de ce qui semblait n'être plus que bois consumé et que cendres. Cet amour latent, je peux à la rigueur le tuer, tout au moins l'étouffer, l'empêcher de se manifester; je ne peux pas l'édulcorer. Pour qu'il reste quelque chose de moi à vous, il me faut la certitude que vous serez un jour plus qu'un ami. Nous avons un soir fait de belles phrases, vous et moi — vous surtout — sur l'amitié entre homme et femme. L'amitié homme-femme est ce que la musique est à l'instrument qui la produit. L'amitié homme-femme est une musique, parfaitement immatérielle et céleste, parfaitement différente de la sensualité, mais qui n'existe que par elle. L'amitié n'est plus possible entre nous sans un pacte, une promesse solennelle qu'elle sera un jour autre chose. Un jour? Quand? Quand vous voudrez, dans six mois, dans un an, si tel est votre caprice. Mais ce qu'il me faut, c'est votre promesse ferme, votre promesse sur tout ce qu'il y a de plus sacré au monde. Alors, je peux attendre. Autrement, je ne peux plus, non, je ne peux plus. Si je ne fais pas de ce présent, tiraillé entre l'espoir et le désespoir, ou du passé irrévocable ou un lendemain virtuel, si je n'arrache pas le couteau, je deviendrai folle.

A.

(Cette lettre est restée sans réponse.)

La scène se passait dans un restaurant du Bois. (Chacun de ces restaurants du Bois évoquait pour Costals des souvenirs contradictoires : heures d'ivresse, quand il y était avec une femme qu'il n'avait pas encore possédée, heures d'embêtement mortel, quand il y était avec une femme à lui.) Une gracieuse chaleur, de quatorze ans d'âge, exactement. On entendait le bruit des oiseaux qui changeaient de branche, et leurs ombres, en passant, rayaient les troncs des arbres. Au-dessus d'un monde sans lois, ils volaient pour tuer le temps.

Il disait à Solange :

— Je ne suis pas amoureux de vous, ni vous ne l'êtes de moi, et c'est parfait ainsi : pour l'amour de Dieu, ne bougeons plus! Alors, jamais eu de sentiment pour un homme?

— Jamais.

— Jamais embrassée?

— Quelquefois, par surprise. Et tout de suite je filais. Mais jamais deux fois. Si vous m'aviez vue remiser les gens!

— Voici pourtant de beaux garçons. Pourquoi ne souhaitez-vous pas qu'ils vous aiment?

— Je reconnais qu'ils ont de beaux visages. Mais qu'est-ce que vous voulez que ça me fasse? Quel rapport y a-t-il entre mon affection et un beau visage?

— Et moi qui ne vous ai aimée qu'à cause de votre visage!

— Vous, vous êtes un homme.

— Jamais eu non plus de souffrance morale?

— Non.

— Jamais pleuré?

— Je ne sais pas ce que c'est.

« Eh bien! pensait-il, voilà la planche à pain idéale. » En même temps il était étonné qu'elle le laissât lui caresser les cheveux, les jambes, l'embrasser, en public. « Tout cela n'est pas bien cohérent. Mais qu'est-ce qui est cohérent, hormis les personnages de roman et de théâtre? »

Comme ils se mettaient à table, il arriva qu'un petit enfant, qui accompagnait des dîneurs, ayant aperçu Solange, s'arrêta, ravi par son visage. Elle dit : « Je ne sais pas pourquoi les enfants m'aiment toujours... » Costals, voyant le regard de l'enfant, comprenait pourquoi : parce qu'ils étaient éblouis par sa beauté. Et cela le ramenait, merveilleusement, à ces temps très anciens où la beauté avait un pouvoir.

Quand le garçon dit : « Si Madame veut... », il sourcilla : ce « Madame » levait pour lui le spectre de l'Hippogriffe nuptial. « Quelle est son idée de derrière la tête? et celle de ses parents? Maîtresse? Épouse? Bah, laissons cela. Il sera bien temps, si l'Hippogriffe se démasque, de me mesurer une fois de plus avec mon vieil adversaire. »

Costals avait toujours été frappé moins par le pli qu'ont la plupart des jeunes filles, de voir le mariage partout, et de vouloir qu'on les épouse, tendances bien légitimes, que par leur obstination à croire qu'on songe à les épouser, même si cette éventualité est d'une invraisemblance qui frise le grotesque. Il lui semblait qu'il y avait toujours, auprès de chacune d'elles, une Chimère — et la Chimère a des griffes, ne l'oublions pas — qu'elles enfourchaient à tout propos, et hors de propos, pour cavalcader dans un élément où elles étaient si à leur aise qu'on les y voyait capables de tout, nous voulons dire en pleine irréalité. Il avait nommé cette Chimère « l'Hippogriffe », et le mot était devenu familier à sa bouche, et à celle des demoiselles qui lui faisaient l'honneur d'avoir des vues sur lui. Selon que cette pensée d'un mariage possible prenait corps ou perdait du terrain dans leur imagination (car dans celle de Costals elle était toujours au point mort), on disait que l'Hippogriffe était florissant, ou qu'il maigrissait; tantôt Costals « nourrissait l'Hippogriffe »; tantôt « l'Hippogriffe était déchaîné »; et même la plus continente des jeunes filles en était venue à désigner certain endroit de son corps, dont elle était obsédée, sous le nom de « partie hippogriffale ». Costals passait son temps à lutter contre l'Hippogriffe de ses amies, à s'efforcer de tuer l'Hippogriffe, autrement dit de les convaincre qu'il ne les épouserait pour rien au monde. Mais, en bon animal fabuleux, l'Hippogriffe terrassé n'avait pas plus tôt rendu le dernier soupir, qu'il renaissait plus fougueux que jamais. Rien n'est plus difficile que de persuader une jeune fille qu'on n'a aucun désir — mais aucun — de lui consacrer sa vie.

Après dîner, dans la nuit venue, ils cheminèrent par l'avenue des Acacias. Il n'était guère de banc qui ne fût le lit d'un couple agglutiné; personne cependant ne jetait sur eux un seau d'eau, comme sur les roquets paillards. « Vont-ils au moins m'apprendre de nouveaux gestes? » se demandait Costals. Mais non, à chaque geste qu'ils faisaient il rigolait : « Eh! je connais ça, ballot! » A quel point le registre des caresses est limité, cela est lugubre. Ces couples, aussi identiques l'un à l'autre dans ce qu'ils ressentaient, qu'ils l'étaient dans leurs postures, finirent par l'excéder, avec leur conviction qu'il n'y avait qu'eux au monde, les sourires qu'ils vous adressaient pour vous convier à admirer leur bonheur, tout cela pour finir par le vitriol et les intraveineuses. Vraiment, une masse cyclopéenne de vulgarité (littérature, cinéma, journaux, romances...) pesait sur ce pauvre couple homme-femme; il était amer de ne pouvoir sortir de là. Au dixième couple entrevu, Costals se sentait paralysé. « Dans dix minutes, moi aussi je serai un de ces pantins. Allons, il faut se jeter à l'eau. Encore quatre ou cinq extasiés, et je n'en aurais plus le courage. »

Il désigna une allée écartée, en prenant garde que ce ne fût pas une de celles où il eût déjà des souvenirs : pas de surimpressions! il n'avait déjà que trop de tendance à mêler tout. « Vous voulez venir un peu par là-bas? » — « Si vous voulez. » Ils pénétrèrent sous les arbres, et se trouvèrent dans une sorte de clairière, où deux fauteuils de fer attendaient côte à côte, disposés par la déesse Prema.

Tout de suite il l'eut sur son épaule, la tête renversée, les yeux clos, donnant sa bouche entr'ouverte, ne rendant pas les baisers, mais se laissant dévorer l'intérieur de la bouche et les lèvres, toujours les yeux fermés, sans jamais les ouvrir, et sans jamais une parole. Était-il possible que cette forme si gracile fût devenue chose si pleine et lourde dans ses bras? Elle était toute corsetée de caoutchouc, cuirassée comme un jeune Ménélas. En certain moment, elle gémit un peu, à croire qu'elle allait fondre en larmes; il devina, à la crispation de ses lèvres sur les siennes, qu'elle aurait un jour de la facilité à mordre; il sentit ses ongles pointus racler contre son veston, comme d'une chatte qu'il tiendrait dans ses bras, qu'il croirait heureuse, mais elle, impatiente au contraire, d'un instant à l'autre elle va griffer et s'échapper. Elle lui prit le poignet, serrant avec toujours plus de force, cherchant sans doute à arrêter sa caresse, toutefois ne l'arrêtant pas; et elle eut ensuite quelques frémissements. Et toujours ce paradis de son visage étalé et immobile, et lui partout dessus avec sa bouche. Elle ne l'étreignait pas, n'en esquissait même pas le geste, ne bougeait pas les lèvres, jamais ne lui rendit un baiser. Quand il s'agenouilla, elle baissa complètement la tête, cachant son visage. Qu'elle fût à prendre était l'évidence même, mais, on l'a vu, il aimait graduer; d'ailleurs le sentiment, à cette heure, débordait en lui les sens. Et tout ce temps il entendait sa respiration précipitée.

Quelquefois, pour reprendre souffle, il relevait la tête. Un silence paternel et maternel semblait épouser autour d'eux le contour même de leur étreinte. Il discerna sur leur gauche une eau qu'il n'avait pas vue, qui peut-être s'était approchée sans bruit pour ne pas les surprendre. Elle brillait, immobile, au-dessous des arbres buveurs. A quarante mètres d'eux, il y avait une auto allumée, avec des gens qui avaient dû dîner sur l'herbe, et des enfants qui jouaient.

Jamais il n'oubliera son visage quand pour la première fois elle ouvrit les yeux et redressa le buste. Ses yeux, plutôt plissés à l'ordinaire, maintenant dilatés, immenses, et qui le fixaient sans ciller. Il ne la reconnut pas; elle, elle le voyait pour la première fois; ils se découvraient tous deux. Il lui dit, comme si vraiment elle était méconnaissable : « C'est toujours toi? » Elle dit « Oui », d'une voix à peine perceptible.

Sa montre marquait minuit et demi. « Il faut partir. » Sans un mot, elle se leva. Ses cheveux s'étaient défaits, la rendant à son petit âge. Elle se recoiffa — dans quel silence! C'était lui qui lui tendait ses épingles, sur la pulpe de ses doigts. Puis elle se tint debout devant lui, comme l'autre jour auprès de sa maison, plus petite que lui, baissant un peu le front avec pudeur; mais, dans cette face baissée, les yeux qui de bas en haut le regardaient sans ciller, vraiment plantés dans les siens. Un inoubliable regard de droiture, à vous en arracher un cri. Un inoubliable désaccord, c'est-à-dire accord, de sa tête abaissée et comme soumise, avec ce regard d'une franchise presque provocante de fierté. Elle ne cherchait pas plus haut que ce visage qui était devant elle; son univers s'arrêtait là.

Il l'enlaça, debout cette fois, elle la tête encore sur son épaule, lui tellement sur sa bouche qu'il ne savait plus qui elle était qu'à l'odeur de sa bouche. Il la fit passer de son épaule gauche à son épaule droite, avec le même geste — exactement le même — par lequel le matador fait passer un taureau de sa gauche à sa droite, dans le *toreo* serré; avec la même pose — exactement la même — qu'a le matador à ce moment-là, d'aplomb sur ses jambes un peu écartées, et le buste un peu voûté; avec le même visage grave — exactement le même — qu'a le matador, et dans son âme la même maîtrise absolue de soi et de l'autre : l'ivresse et le sang-froid mêlés en lui comme la terre et l'eau dans l'argile. Sa domination sur elle était absolue, et il le savait. S'il lui avait dit : « Restons là toute la nuit », elle fût restée. S'il lui avait dit : « Déshabillez-vous », elle se fût mise nue : elle était subjuguée. Mais rien n'était égal à sa domination sur elle, que son désir de n'en pas abuser, voire de ne pas lui faire mal en la serrant trop fort contre soi, car il sentait jouer ses muscles, toute cette force qui, même s'il était dénué d'intelligence, de talent, d'argent, vivrait en lui des années encore, et demain allait la rendre heureuse. Et ses seules sensations précises étaient la dureté des dents de Solange, qu'il touchait de ses lèvres, et toujours le raclement de ses ongles le long de son veston, de haut en bas, comme un de ces gestes qu'on fait dans l'agonie.

Ils partirent d'un pas mal assuré; il la tenait par le poignet. Dans le Bois, l'électricité était éteinte; ils durent revenir à pied vers la Porte Maillot, cherchant une voiture. Maintenant c'était son sein gauche qu'il tenait dans sa paume, et il le sentait battre, comme s'il sentait battre dans sa paume le cœur de la création. Il fit plusieurs remarques, sur l'inconvénient de ne pas trouver de voiture; à aucune elle ne répondit. Elle ne disait rien : pas une parole. L'impression qu'elle donnait était d'un être stupéfié, sous l'effet d'un charme. Un peu inquiet de ce silence, il la baisa sur la nuque, comme pour lui montrer qu'il l'aimait toujours. Dans une auto qui passait à ce moment, un jeune homme leur cria : « Pas comme ça! Sur la bouche! » Elle ne rit pas.

S'inquiétant davantage, il lui dit : « A quoi penses-tu? » Et elle : « A ce soir... » O petite fille!

Enfin ils hélèrent un taxi.

De l'avenue des Acacias à l'avenue de Villiers, le taxi ramena une morte. A peine entrée elle renversa la tête. Elle ne dit pas un seul mot durant ce quart d'heure, les yeux fermés, la bouche collée à sa bouche, comme si c'était là qu'elle prenait son souffle, et qu'à la quitter une seconde elle eût expiré. Une fois, l'auto ralentit, s'arrêta presque, sous les feux multicolores d'un carrefour; il y eut un visage, à quelques centimètres d'eux, qui les regarda par la vitre arrière. Il se décollait d'elle, il portait à ses lèvres sa petite main pelotonnée, et la baisait sur les ongles et les doigts. Mais alors elle haussait un peu la face, pour qu'il la reprît, ne donnant que par ce léger mouvement la preuve qu'elle n'était pas évanouie. Avenue de Villiers, il la réveilla. Il lui dit au revoir, et : « Je vous téléphonerai après-demain matin. » Elle descendit sans une parole, comme une somnambule, ou comme un esprit.

La voiture partit. Au premier bistrot encore ouvert, il dit au chauffeur : « Vous voulez prendre quelque chose? » Au comptoir, il but deux verres de blanc. Il fit arrêter avant qu'on ne fût à la maison, pour s'aérer un peu. Il lui semblait que le globe terrestre faisait ses tours bien au-dessous de lui, et qu'il marchait en posant les pieds de nuage en nuage.

PIERRE COSTALS
Paris

à

Mlle RACHEL GUIGUI
Paris.

23 mai 1927.

Eh bien, chère Guiguite, ça y est! nous te laissons
tomber. Nous avons en mains une ange du ciel, et
nous décidons de nous y concentrer, n'étant plus à
l'âge où chacune en a sa part, mais toutes l'ont en
entier. Nous lui arriverions distrait, le goût serait
moindre, et nous voulons avoir une sensation qui
soit dans toute sa gloire. Nous croyions à une longue
nuit, où poindrait enfin l'aurore du consentement;
mais cette ange a perdu pied séance tenante : à
peine avons-nous eu le temps de désirer. C'est très
sérieux, ce n'est peut-être pas du sentiment titre or,
mais c'est de l'émotion titre or, et si nous en badi-
nons, c'est parce que c'est dans notre génie. Enfin,
ma chère, nous sommes en plein sublime, et comme
c'est une région où tu n'as que faire, nous te mettons
en veilleuse, avec ton autorisation, jusqu'au jour,
qui ne saurait être bien éloigné, où notre ange elle
aussi devra faire place nette : le sublime, hélas! ne
saurait être soutenu continûment. Là-dessus nous
te baisons, et nous t'envoyons des sous (il y a une
provision).

C.

P.-S. — Nous te mettons *nous* parce qu'on nous
traite d'orgueilleux quand nous disons *je*. C'est vrai,
nous est beaucoup plus naturel, il fallait seulement
y penser.

CAHIER DE MADEMOISELLE
GERMAINE RIVAL, PARIS

(EXTRAIT)

. . . .

Mardi. — Mon dernier jour ici. Belle poussière
de la manutention, que je ne respirerai plus, derrière
ces fenêtres bouchées, barricadées, dans le bruit et
le désordre des caisses défaites avec fièvre. Et le
petit escalier de bois, avec sa rampe de cuivre, que
je descendrai encore une fois, que je ne monterai
jamais plus. Il était comme un escalier de navire.
A le monter, on croyait que la maison allait s'ébran-
ler, cingler vers le large.

Il fallait bien en arriver là. Lorsque j'ai pris cette
place, C. ne m'a fait aucun reproche, bien que cela
lui eût déplu : même quand il ne s'occupe pas de moi,
il veut sentir qu'il m'a sous la main. Ma nouvelle
situation n'était pour lui qu'une gêne possible, mais,
l'ombre seule d'une gêne, c'est encore pour lui un
fardeau écrasant. Il m'a dit alors, sans plus : « Tu
ne resteras pas un mois. Penses-tu, " venue de l'en-
seignement "! Tu n'es pas des leurs. Ils trouveront
un prétexte pour te balancer. » Il me prenait par
l'orgueil. Trois jours après, il devenait plus insidieux
encore : « Quand ils t'auront mise à la porte, je t'em-
mènerai peut-être en Italie. » — « C'est une promesse? » — « Une promesse!... Est-ce que *quelqu'un
comme moi* promet jamais? » Ce n'est pas vrai, il pro-

met sans cesse, mais *quelqu'un comme lui* tient rarement. Et ne s'excuse pas. « Qu'est-ce que tu veux, j'ai changé d'idée. Il faut me prendre comme je suis. D'ailleurs, il y a prescription. »

Même sans promettre, il m'a mis cette idée d'Italie dans la tête : c'est tout ce qu'il voulait. Chaque fois que nous nous voyions, cela revenait : « Si tu es renvoyée, et si nous allons en Italie, ce que d'ailleurs je ne te promets pas... » C'est à cause de ce *si* que j'ai fini par prendre un prétexte et que j'ai manifesté avec les autres. J'aurais pu me faire renvoyer pour « insuffisance professionnelle » (autrement dit, sabotage), mais cela me répugnait : moi aussi, il faut me prendre comme je suis. Le principe de la manifestation était discutable. Et puis, faire transformer la condamnation de droit commun de L. en expulsion politique, ce que je m'en bats l'œil. L. avait une tête qui ne me plaisait pas. Maintenant je suis obligée de laisser croire que je suis « rouge ». Maman pleure. « Toi qui as été élevée chez les sœurs! etc. »

Ce n'est pas le directeur, dans cette maison, qui me représente Dieu, c'est le caissier, dans sa cage de fer : sourd, muet, aveugle, tout à fait Dieu. Encore une femme qui attend sur un des bancs de l'antichambre, pour une place, et il n'y a rien. La gosse Renaud qui arrive, avec ses épaules serrées, sa petite figure de citron minable. C'est dur, au commencement, quand on a seize ans, qu'on n'est pas habituée... Elle ne cesse de regretter sa maison, son logement de pauvre, mais où elle est hors de la chaîne, et à l'abri des grossièretés. Celle-là, là-bas, a quelque chose qui ne va pas à sa machine. Elle me regarde avec désespoir, pour que j'aille l'aider. « Mademoiselle, je ne sais pas ce qu'il y a. » — « Votre courroie a glissé, je vais la remettre. » Maintenant, c'est Lucienne, celle qui dit : « Moi, j'ai horreur du bon Dieu. » (Ça lui passera.) « Mademoiselle, j'ai mal à la tête. » — « Allez dans la cour, vous reviendrez dans cinq minutes. » — « Et si le Directeur me voit ? » — « Vous lui direz que je vous ai permis. » Elle s'en va. Alors, une autre : « Mademoiselle, elle ne reviendra pas, Lucienne. » (Même les « rouges », entre elles, elles sont tout le temps à se cafarder.) Je réponds : « C'est bien comme ça que je l'ai compris. » Je ne peux pas me faire à jouer ce rôle de rouge. Pour leur montrer que je suis avec elles, il faudrait manquer d'autorité, mais c'est plus fort que moi, je ne peux pas.

(Oui, Andrée Barbot, tu peux me regarder, ma fille. Tu ne me feras pas baisser les yeux. Tu m'arracheras peut-être un sourire nerveux, pas davantage. Tu vois, c'est toi qui baisses les yeux la première. Sale bête, va !)

Les cinq minutes passées, Lucienne rentre. Je sais bien qu'elles ont peur de moi. Et moi je me fais peur à moi-même, d'en être venue à détester ces malheureuses. Il paraît cependant que c'est indispensable ! « Considérez-les comme des ennemies. Soyez dure. » Elles parleront pendant des années de la méchante contremaîtresse. Aussi malheureuse qu'elles. Peut-être plus. Sûrement plus. Mais elles ne se révoltent pas. Quel dégonflage, après l'histoire ! Que de « non » sur la feuille ! A peine quelques « oui », et parfois une signature sans « oui » ni « non ». Pourtant on avait été nombreuses à voter pour. Ce qui est frappant chez presque toutes, c'est l'absence de courage. Comment se révolteraient-elles ? Non seulement elles ne sont pas choquées par l'arbitraire et l'injustice, mais elles les aiment : ce qu'elles aiment, c'est le fait du prince. Et elles n'aiment pas non plus la bonté. Si on n'est pas méchant, elles vous méprisent.

Je suis en rapport, ici, avec quatre hommes et seize femmes. Quand je me demande à qui je dirai au revoir, je trouve deux hommes, et trois femmes. Proportion.

Peut-être y a-t-il un maître mot que je ne connais

pas, et qui aurait permis de concilier tout. M'en aller sans l'avoir trouvé... N'avoir reçu d'aide de personne... C., à qui j'en parlais, a bondi : « Moi, des secrets pour commander!... Ni commander, ni être commandé. » Bien sûr; lui, il ne veut qu'une chose : échapper.

Le lendemain. — Pire que tout ce que j'avais imaginé.
— Tu sais, on ne va pas se voir pendant quelque temps.

Il aurait pu me dire n'importe quoi, qu'il était malade. Mais non, il faut toujours qu'il dise la vérité.

— J'ai trouvé une fille épatante. De l'eau pure! Il ne faut pas que je perde ma force à droite et à gauche. Si je lui arrive dissipé, j'aurai moins de goût. Mais, quand ce sera fini avec elle, nous recommencerons. C'est peut-être l'affaire de six semaines.

Il a voulu me donner mille francs. Son misérable argent! J'ai refusé.

— Tu refuses? Comme les Arabes!
— Pourquoi, « comme les Arabes »?
— Quand un Arabe n'est pas content de la somme qu'on lui donne, il la jette par terre. Et il ne la reprend pas. Mais toi tu prendras les mille francs. Parce que tu es Française. Parce que tu es femme. Et parce que tu n'as aucune raison de refuser. Je fais quelque chose qui t'embête. Pour compenser, je fais quelque chose qui te plaît. Quoi de plus raisonnable?

S'il mentait, je serais de force à l'affronter. Mais, comme il présente les choses, il n'y a jamais rien à dire. Je n'ai même pas parlé de l'Italie.

J'ai fini par accepter. J'achèterai avec ça une radio, en disant à Maman que je l'ai gagnée à la loterie. C'est un appareil de 1 450 francs, mais je peux l'avoir pour mille par l'ami de Pierrette. J'ai demandé à C. de m'envoyer aussi des disques, parce qu'il s'y connaît mieux que moi en musique à la page.

. . . .

A peine Costals et Solange se furent-ils attablés dans le jardin de cette *hostellerie* à chiqué, non loin de la forêt de Montmorency, que Costals se mit à souffrir. Il avait horreur de ces dîneurs qui les entouraient, les hommes avec leur air « extrêmement distingué » (« Chère amie, ce ciel ne vous rappelle-t-il pas certain Canaletto que nous avons vu au Musée de Vérone? »), les femmes avec cet ennui, cette sottise et cette méchanceté qui modelaient leurs figures : tous puants sans le vouloir, et même jamais plus, ô mystère! que lorsque d'aventure ils cherchaient à se faire pardonner, tous retranchés dans leur façon de s'entendre à demi-mot, de se référer à des rites connus d'eux seuls, de se croire d'une essence à part, tous irrémédiablement exilés du naturel et de l'humain, si bien que par moments ils auraient presque éveillé la pitié, comme s'ils étaient un peu maudits. On était cent cinquante à l'intérieur de cet enclos, et il n'y avait de dignité que sur les visages des maîtres d'hôtel, et de pureté — une pureté sublime — que dans ce lévrier blanc.

Ce n'était pas parce qu'ils étaient riches qu'ils écœuraient Costals, mais parce que de cette richesse ils étaient si indignes : des perles aux pourceaux, vraiment. Pas l'ombre d'envie en lui, pour cette bonne raison que, ce qu'ils avaient, ou il l'avait lui-même, ou il lui eût suffi de le désirer, et de le désirer à peine, pour l'avoir. Mais honneurs, emplois, « grosse situation », tout ce qui attend normalement un écrivain de talent moyen en France, il n'eût pu l'obtenir qu'en fréquentant ces gens. Or, impossible de les fréquenter sans un dégoût qui lui fût si pénible que la sagesse était d'en réduire les occasions. Aussi disait-on quelquefois, dans ces milieux, qu'il était distant. Et il était distant *de ces milieux*, oui, à coup sûr.

A certain moment, ce dégoût devint si intense qu'il suffit d'un petit trait, et ce qui n'était que moral passa dans le corps. Devant l'expression de stupidité inouïe que prit une des femmes, expression destinée à faire bien voir qu'elle méprisait son époux (elle cherchait à ressembler à Marlène Dietrich, et elle y parvenait), Costals repoussa son assiette, releva la tête...

— Qu'avez-vous? demanda Solange. Vous êtes souffrant?

Il avait pâli à tel point qu'elle prenait peur. Il s'excusa sans s'expliquer, changea de place son couvert et sa chaise, de façon qu'il n'y eût plus de dîneurs dans le champ de son regard, désormais tourné vers la forêt. Ce n'était pas la première fois qu'un excès de dégoût causait en lui cette sorte de révolution. Il avait pâli de même, un jour, boulevard Saint-Michel, en voyant passer un monôme d'étudiants. Ils avaient tous des lavallières jaune serin (un symbole?) et marchaient en se tenant par les épaules, et en braillant quelque chose, derrière une pancarte sur laquelle était tracé le chiffre 69. Des agents les encadraient, et avec l'un de ceux-ci Costals avait échangé un sourire de commisération désolée; il avait horreur de penser que ces hommes du peuple lui croyaient peut-être de l'indulgence pour les manifestants. Comment, d'ailleurs, cet agent avait-il pu sourire? Costals se disait qu'à sa place, contraint par le service de se mettre au pas de ces gosses de riches, et de les suivre dans les grossières momeries de leur fainéantise et de leur bêtise, il n'eût pu se retenir de taper dessus.

Il avait toujours été surpris par cette patience de ceux que, dans les « bonnes familles », on appelle charitablement les *inférieurs*. Il se demandait toujours comment il se faisait que — humbles en Europe, indigènes aux colonies — ils ne haïssent pas davantage. Car, de toute évidence, il y en avait qui ne haïssaient pas; et il en était touché, sans comprendre. Il se disait que, si agréables qu'elles soient pour certains, les périodes de paix sociale ne sont pas chose naturelle ni logique, et que c'est le jour des révoltes que la vie rentre dans l'ordre. Quels que puissent être ses excès et ses injustices de détail (lamentables, certes), c'est malgré tout le jour des révoltes que la situation redevient normale, et satisfaisante pour l'esprit. On sort enfin du miracle.

Si Costals s'était trouvé seul, aujourd'hui, dans ces parages, ou avec des copains, ou avec son fils, il eût été dîner avec les chauffeurs. Supposé que leurs propos fussent peu délicats, ce qui n'était rien moins que sûr, eux, ils avaient une excuse, n'ayant eu ni éducation, ni culture, ni loisir. Tandis que ceux d'ici, qui étaient si pauvres, avaient tout reçu. Et puis les chauffeurs, dans leurs propos, s'occupaient d'autre chose que de chercher à donner une bonne opinion de soi et de répéter ce qu'ils pensaient qu'il était de bon ton de dire.

Costals, de temps en temps, jetait sur Solange un regard trouble. C'était à cause d'elle qu'il était ici. C'était la rançon de ses liaisons avec les femmes, quand elles n'étaient pas du peuple, que cette nécessité de les rencontrer ou de les mener dans des endroits vils : salons, palaces, boîtes de nuit, théâtres, plages à la mode. Oh! elles savaient bien que, ce qu'elles devaient affecter quand elles étaient avec lui, c'était de dénigrer ces endroits : elles répétaient ce qu'il en disait lui-même, en renchérissant. Quelles belles indignations! Mais il fallait les voir, dans les lieux de plaisir, s'animer, se gonfler, se pavaner; impossible de cacher que c'était cela qu'elles aimaient, là qu'elles se sentaient vivre, même les plus gentilles et les plus honnêtes, même les plus simples. Rien à faire contre cette équation : femme = chichis. Et le passé de Costals était plein de liaisons alourdies, voire empoisonnées, par la honte qu'il avait eue de devoir, pour amuser ces femmes, se renier en les accompagnant dans un mode d'existence qu'il réprouvait. De même qu'un homme, trente ans après être sorti de l'adolescence, et quels qu'aient été l'amour et le dévouement de ses parents, associe *d'abord* à leur souvenir d'infimes griefs : « Ils m'ont fait faire un an de droit qui ne m'a servi à rien », ou : « Ils m'obligeaient à porter des gilets de flanelle en plein été », de même, si une femme lui avait donné des corbeilles de joies, toutes ces joies ne l'empêchaient pas de penser : « Que de journées elle m'a fait perdre (sans parler de l'argent) dans des choses indignes! Par exemple, c'est à cause d'elle que — j'en rougis encore — j'ai passé huit jours à Deauville. » Il n'en voulait pas sur le moment à Solange de s'être cru obligé, parce qu'il était en sa compagnie, de dîner dans un restaurant à prétentions, mais il mettait de côté, soigneusement, ce motif de rancune, et de rancune généreuse, si on peut dire, pour le retrouver le jour où il aurait envie de se détacher d'elle.

Tout à l'heure, tandis que l'auto les emportait à travers la forêt de Montmorency (parfois des automobilistes, qui les croisaient de tout près, riaient en le voyant la baiser à bouche que veux-tu, et alors Costals leur riait en réponse, dans une complicité jeune et peuple qu'il aimait), tout à l'heure il lui avait dit : « Après dîner, à l'*hostellerie*, si je prenais une chambre... est-ce que vous voudriez monter un instant? » Elle avait répondu « oui ». Toujours ce *oui!* Et maintenant ce dîner, commencé avec de l'humeur, ne se terminait pas sans une secrète mélancolie. Certaines fois, il avait pris des jeunes filles dans un coup de vent jovien, qui ne laissait place à rien d'autre qu'à la gloire du rapt. D'autres fois, dont celle-ci, il éprouvait une sorte de malaise à se dire qu'un acte si capital dans la vie d'une femme honnête était forcé d'avoir tellement moins d'importance pour lui. Et puis il songeait : « Dans une heure je saurai comment elle fait cela. » La curiosité cesserait alors de soutenir son sentiment, et il se demandait ce que deviendrait ce sentiment, une fois abandonné à lui-même.

— Votre mère vous a-t-elle posé des questions inconvenantes sur ce qui s'était passé entre nous, au Bois, l'autre soir?

— Non, heureusement.

— Si elle vous avait dit : « Comment s'est-il conduit avec toi? », qu'auriez-vous répondu?

Elle resta silencieuse.

— Je vois à votre silence que vous ne lui auriez fait grâce d'aucun détail.

— Je n'ai jamais rien caché à ma mère.

— Eh bien, c'est agréable!... Vous avez reçu une jolie éducation!...

— Je n'ai jamais rien caché à ma mère, parce que je n'avais rien à lui cacher.

— Ce qui veut dire que si... Ah! je vois que vous avez malgré tout une petite goutte d'intelligence.

Mais voici qu'une scène analogue à celle de l'autre jour vint le ravir. Une petite fille, de cinq ans peut-être, se détacha d'un groupe de dîneurs qui se mettaient à table, et s'approcha de Solange, ne la quittant pas des yeux, avec une expression enchantée. Quand sa mère vint la chercher, elle pleura. Ensuite, on ne pouvait la faire manger, parce qu'elle avait le regard sans cesse fixé sur la jeune fille. Et Costals se rappelait ce que Solange lui avait dit, de l'attrait presque mystérieux qu'elle exerçait sur les enfants.

Elle monta vers la chambre avec une grande simplicité, sans la moindre gêne. Il en fut frappé, il eut une pensée trouble (vilaine? non, la pensée d'un homme qui a vécu) : « On dirait qu'elle n'a fait que ça toute sa vie. » Et d'abord ce furent de grandes étreintes photogéniques sur le balcon, devant les feuillages auxquels les lampadaires donnaient un vert de chlore, tandis que montait d'en bas la musique de l'orchestre. Costals s'appliqua. « Il faut que je fasse cela bien. Il faut lui faire un beau souvenir, à la hauteur de cette vieille lune et de ces coquins de violons. Enfonçons-nous dans la tête qu'*éternité* est l'anagramme d'*étreinte*. Donnons-lui la bagatelle d'une bouffée d'éternité. »

Maintenant elle était nue, sur le lit, ayant pourtant gardé ses souliers, et ses bas qu'elle avait rabattus sur les souliers; elle s'était déshabillée, sur sa demande, sans plus de coquetterie que de pruderie, avec le même naturel et la même franchise qu'elle avait eus quand elle montait l'escalier, sous les regards du personnel de l'hôtel. Elle avait du poil aux jambes, trait charmant chez une demoiselle, à condition qu'elle n'en abuse pas.

Elle étreignait ce monsieur maladroitement et sans force, et les baisers qu'elle lui donnait — ses premiers baisers, depuis qu'ils se connaissaient — étaient étroits et comme de convenance. A chacun d'eux elle avait l'air de se dire : « Il faut que je l'embrasse. Ça se fait. » Mais quand, la bouche sur la sienne, il lui communiqua les premiers éléments de l'art en ce genre de choses, il sentit que parmi toutes ces caresses, elle avait enfin trouvé celle où elle était à son affaire, où vraiment elle avait du plaisir, et qu'à présent il était clair qu'elle n'avait pas perdu sa journée. Durant de longues minutes, dans cette possession officieuse des bouches, elle se donna tout autant que dans la possession sous sa forme officielle. Quand il demanda : « Voulez-vous que j'allume? » (son premier geste, en entrant, avait été d'éteindre l'électricité, mais la chambre était éclairée par le clair de lune), elle dit : « Non, je ne veux pas », d'une voix nouvelle, changée par l'émotion, d'une voix de toute petite fille, à la fois haute et basse, comme si cette voix venait de très loin, comme si elle venait d'une petite Dandillot d'un autre âge, restée dans le tréfonds de son être. Par la suite il appela cette voix sa « voix nocturne », parce qu'elle ne la prenait que durant les caresses, — et le vaisseau des caresses, quand on y est avec des petites filles, navigue toujours feux éteints.

Dans le regard de Costals, maintenant, il n'y avait plus rien du corps de Solange, plus rien d'elle que son visage entouré de ses cheveux épars, comme le cœur d'une fleur entouré de ses pétales; il semblait que toute cette femme ne fût plus que cette grande corolle : une femme corolle... Elle se prêta d'abord à ce qu'il voulut, mais bientôt elle se mit à pleurer : « Non! Non! » Elle pleura assez longtemps, avec de vrais sanglots, pendant qu'il la câlinait sans se retirer d'elle, et il se disait : « Nous connaissons tout cela. » En partie par une certaine répugnance à lui faire mal, mais surtout afin de se garder de l'inconnu et de l'attrait pour les fois prochaines, — tout en satisfaisant à cette coquetterie qu'il avait, de ne saisir jamais l'occasion, — quand il la relâcha, elle n'était que préparée : il est rare de pouvoir allier ainsi la volupté et la vertu. Ses sanglots continuèrent un peu après qu'il se fut écarté, puis se firent plus rares, enfin cessèrent; en lui, cependant, la sensation avait toujours sa fraîcheur de blessure neuve. Ils demeurèrent immobiles et silencieux, étendus au flanc l'un de l'autre, et il se demandait si elle n'était pas fâchée. Fausse ingénue (c'était une hypothèse que son esprit ne pouvait rejeter complètement), elle était peut-être piquée de n'avoir pas été prise tout à fait; au contraire, petite fille, elle lui en voulait peut-être un peu de l'avoir menée jusque-là. Mais soudain, tournant son visage, — cloc! — elle le baise sur la joue. Le bruit d'une rainette qui saute à l'eau.

Il resta ainsi plusieurs minutes, silencieux à son côté, et il prenait de la hauteur. Il y a des élévations, religieuses ou autres, qui naissent du jeûne. D'autres — par l'identité des contraires — peuvent naître de la digestion d'un riche repas, digestion qui nous transporte dans un monde meilleur. Chez Costals, il était fréquent que ces élévations prissent forme aussitôt accompli l'acte charnel; elles étaient alors d'autant plus intenses qu'il s'était donné davantage dans cet acte. Soit que, s'étant vidé par l'acte de toute sa sensualité, il ne restât plus en lui que sa part spirituelle. Soit que, sitôt branché physiquement sur une femme, la lumière se fît en lui, comme lorsqu'on branche sur la prise le bouton électrique, et que cette lumière fût totale : l'absolu de la sensation, suivi de l'absolu du sentiment (certaines âmes vont à l'absolu comme l'eau va à la mer). Presque tout ce qu'il y avait d'inspiré dans son œuvre avait été conçu durant les minutes qui suivaient la possession. Ainsi, étendu au flanc de Solange, c'était à Thérèse qu'il pensait, et il vit son âme menacée (du point de vue catholique), sans qu'elle-même s'en doutât le moins du monde. Cependant il avait eu suffisamment pitié d'elle, et était las de sa pitié.

L'orchestre s'était tu. Les fenêtres étaient grandes ouvertes sur la nuit chaude, et on voyait les feuillages noirs (les lampadaires avaient été éteints) qui faisaient en remuant un bruissement continu, semblable à celui de la pluie. Maintenant il paraissait à Costals qu'Andrée était debout au pied du lit, avec son visage désespéré. « Moi qui sens, connais, comprends! Moi qui vous ai pénétré dans votre œuvre mieux que si j'étais vous-même! Et vous me refusez ce dont vous comblez sans réserve cette petite insignifiante, simplement parce qu'elle est née jolie! » Souvent l'injustice de tel de ses actes lui causait une sorte d'enthousiasme : c'est le plaisir que ressent Dieu lorsqu'il contemple la création. Cette fois, elle lui parut lourde. Pourtant, de nouveau, il caressait Solange; puisqu'il était entendu qu'il était partial à son profit, ce n'était plus la peine de se gêner. Mais il se promit d'écrire à Andrée, le lendemain, une lettre gentille. (Il ne le fit d'ailleurs pas, n'étant occupé que des pensées religieuses qu'évoquait en lui une lettre à Thérèse.)

Dans la voiture, elle fut moins stupéfiée que l'autre jour. Plusieurs fois elle se releva de la poitrine de son ami, et elle le regardait dans les yeux en silence, comme si, après coup, elle avait besoin de faire connaissance avec cet être à qui elle s'était donnée. Et lui, sous son regard, il se disait : « Ma figure est celle d'un homme de trente-quatre ans, et qui réfléchit. La laideur de ceux qui pensent, ou croient penser. » Il resta ainsi, sous son regard, comme un soldat qui se force à tenir la tête au-dessus du parapet : la nudité terrible du visage de l'homme, sans poudre, sans fard, si courageux auprès du visage des femmes, toujours rafistolé. Cela dura un temps qui lui parut très long. Ensuite elle reposa la tête sur son épaule, comme si elle consentait pour la seconde fois.

Comme il se croyait en droit de la tutoyer, mais qu'elle disait toujours vous, il sourit : « Tu? vous? » Et elle, très simplement (sans la moindre intention désobligeante) :

— Je ne sais pas dire *tu*.

Il aima ce mot, où il vit ensemble de la timidité et de la fierté : un mot d'infante.

Soudain, après un silence, elle lui demanda à brûle-pourpoint :

— Est-ce que vous m'aimez vraiment?

Assez sottement, sans réfléchir, peut-être cependant parce qu'il y avait toujours en lui l'arrière-pensée qu'elle pouvait n'être pas sincère, il lui dit :

— C'est plutôt à vous que je devrais demander cela.

Elle sursauta, et avec violence, avec une violence qu'il ne lui connaissait ni ne lui soupçonnait pas :

— Vous n'avez pas le droit de me dire ça! Est-ce que je ne vous en ai pas donné assez de preuves?

Elle s'était dressée, comme un petit serpent. « Vous n'avez pas le droit! » Jamais il n'aurait cru qu'elle pût prononcer une telle parole. Serait-elle capable d'être passionnée? Il se disait aussi un cruel mot d'homme : « Quelles preuves? »

— Moi, reprit-elle, je vous aimerai toujours, je le sais bien. Et vous, combien de temps?

— Longtemps.

Elle fit la grimace. Il lui dit :

— Quand j'avais seize ans — seize ans, vous entendez — j'avais une petite copine de quatorze ans. Je l'aimais comme on aime pour la première fois, c'est-à-dire avec un feu qu'on ne retrouvera jamais plus. Bien entendu, elle me dit la même phrase que vous venez de me dire, qui est une phrase classique : « Moi, c'est pour la vie. Et toi? » Je lui répondis : « Moi, pour le plus longtemps possible. » Je l'aimais à la folie, et j'avais seize ans : telle était cependant ma lucidité. Il est à peine besoin d'ajouter que six mois après nous ne nous connaissions plus. Voyez-vous, j'aime la réalité. J'aime voir ce qui est, appuya-t-il avec un accent de passion. Les gens disent qu'on est malheureux quand on voit trop tout ce qui est. Moi, je vois tout ce qui est, et je suis très heureux. Mais, parce que je connais la réalité, je sais qu'il ne faut jamais engager l'avenir. Quels seront vos sentiments dans un an? dans six mois? dans trois mois? Quels seront les miens? C'est pourquoi je ne vous dis pas ce « toujours », que d'ailleurs je trouve très naturel dans la bouche d'une jeune fille, et qui me touche profondément. Je vous dis « longtemps », et je vous le dis en homme qui sait ce que « longtemps » veut dire. Et cela veut dire beaucoup. Savoir qu'on aimera quelqu'un pendant longtemps, c'est beaucoup, croyez-le.

Elle ne répondit pas.

Quand ils se quittèrent, il voulut lui donner un encouragement, et il lui dit, avec un gentil sourire :

— Vous savez, je ne me sens pas du tout fatigué de vous...

Plus tard, il se repentit de pouvoir douter d'elle. Ce n'était pas qu'il doutât d'elle à proprement parler. Qu'elle fût neuve de cœur, il le croyait. Intacte de corps, il le savait. Mais il lui était impossible de ne pas juxtaposer, aux « Non! Non! » et aux pleurs, et même à la voix nocturne, à l'inoubliable voix de petite lycéenne, toutes les contrefaçons qui en circulent dans le sexe aimé. Il était si convaincu que Solange était « nature », qu'il trouvait presque vil d'en douter par instants, même si ce doute était pour ainsi dire forcé. Car c'était le passé de Costals qui injectait le présent de toute une connaissance qui modifiait sa vision de Solange, et il n'y avait rien à faire à cela. Rien ne pouvait empêcher qu'elle ne fût pour lui que la dernière, tandis que pour elle il était le premier. Rien ne pouvait empêcher qu'il n'eût connu beaucoup de copies avant de connaître l'original, et que l'original parût moins original après ces copies. Et, alors que son attitude à l'égard d'Andrée ne lui causait aucune gêne, il se sentait coupable à l'égard de Solange, envers laquelle il n'avait d'autre tort que d'être ce qu'il était. Tant y a que tout tourne au profit de ce qu'on aime.

Mais un autre sentiment le portait à douter un peu de Solange : il s'étonnait qu'elle pût l'aimer. Costals n'avait pas de vanité littéraire, et un des traits qu'il goûte le plus en Solange, c'est qu'elle ne lui parle jamais de ses livres, et ne lui glisse jamais la moindre parole d'admiration. Sa vanité d'homme, elle, était à éclipses. Son premier mouvement était de penser qu'aucune femme, désirée par lui, ne se refuserait. Mais, quand l'une d'elles tombait dans ses bras, en donnant aussi quelque chose de son cœur, il en était interloqué, et se disait le mot de Louis XV : « J'ai peine à comprendre pourquoi on m'aime tant. » Par là il goûtait tour à tour le plaisir de se croire invincible, et le plaisir de se découvrir humble : il y a temps pour tout, dit le sage. Que Solange l'aimât vraiment, il trouvait cela invraisemblable. « Ce que j'ai de grand et de supérieur, elle est incapable de l'apprécier : chère chérie, son cerveau est celui d'une puce de mer. Que peut-elle donc aimer en moi? Qu'y a-t-il en moi, physiquement, qui vaille d'être aimé? Allons, cela n'est pas clair. » C'était oublier que les femmes, au contraire des hommes, vont de l'affection au désir. Ainsi, deux éléments entraient dans sa défiance : l'un, qu'on pourrait *flétrir* en ces termes : « le désabusement d'un blasé, qui corrompt toute candeur », et l'autre, qu'il est difficile de ne pas appeler de l'authentique modestie. Son sentiment était donc en partie bon et en partie mauvais. Comme les trois quarts de nos sentiments. Ce que ne veut pas la société, qui veut des genres tranchés, pour qu'on *s'y retrouve*. Mais ce que veut la nature, qui n'aime rien tant que la confusion.

« Rien ne peut faire que je ne sois pas lucide — et lucide *toujours* », se disait-il, quand il songeait au « longtemps » qu'il avait opposé à sa naïve assurance. « Et d'ailleurs rien ne me ferait souhaiter de ne pas l'être. Ma lucidité effraye les gens, mais moi elle ne m'effraye jamais. Je m'en amuse, c'est un monstre que j'ai apprivoisé. Mais pourquoi " un monstre"? Disons plutôt qu'elle est mon génie tutélaire. C'est grâce à cette lucidité que je mène une vie parfaitement intelligente, ne faisant que ce que je sais pouvoir faire, et m'y concentrant, ne me fourvoyant jamais, ne perdant pas de temps, n'étant dupe ni des autres ni de moi-même, ne souffrant jamais des êtres, et même n'étant que très rarement gêné par eux. Et comme je joins à cette lucidité toutes les puissances de l'imagination et de la poésie, par la poésie je retrouve le domaine du rêve, et par l'imagination je découvre les sentiments des hommes qui ne sont pas lucides; ce qui me permet de donner à volonté, quand je le juge bon, des vacances contrôlées à ma lucidité, et de gagner ainsi sur les deux tableaux. Ma vie n'est pas une vie supérieure, parce que, si mes sens ne me manquent jamais, mon esprit, mon caractère et mon cœur sont par contre pleins de lacunes; mais ces éléments sont de ceux sur lesquels pourrait être bâtie une vie supérieure. Quant à ma chère Dandillot, qui n'est pas moi, ce que je dois obtenir, c'est qu'elle ne souffre pas par mon fait, et je l'obtiendrai tantôt en lui mentant, tantôt en ne lui mentant pas, en me gouvernant enfin non par des principes, mais selon l'opportunité, par le flair et par la délicatesse, dont mon affection sera le guide. Il est possible qu'en d'autres circonstances je l'emmitoufle d'illusions. Mais il fallait qu'une fois au moins je la misse devant ce qui est, quitte à lui voiler par la suite un spectacle qu'il serait de mauvais goût d'imposer sans relâche à une fille de vingt ans. »

PIERRE COSTALS
Paris

à

THÉRÈSE PANTEVIN
La Vallée Maurienne.

29 mai 1927.

Mademoiselle,

J'ai eu beaucoup de pitié pour vous devant Dieu,
ces jours-ci, comme vous me le demandiez, et enfin,
tout à l'heure, à la faveur de circonstances parti-
culières, j'ai vu votre âme dans un rêve, et je l'ai
vue gravement menacée. Vous êtes comme ces bonnes
gens qui, à la veille des révolutions, se croient en
sécurité parce qu'ils sont libéraux. « Les révolution-
naires m'inquiéteraient? Pourquoi donc? Ils savent
bien que je suis de cœur avec eux. Et puis, s'ils
me condamnent, il faut qu'ils condamnent tout le
monde. » La révolution se fait; on les laisse tranquilles; ils triomphent. Puis on les arrête et on les
tue. Vous dormez en repos, vous voyant entourée
d'une telle foule de petits pécheurs et de faux innocents, comme si Dieu était obligé de l'épargner.
Mais l'exemple des Juifs, qui ont tous péri dans le
désert, hormis deux, vous passez là-dessus, et sur
toute l'Écriture, qui conspire à l'établissement de
cette doctrine. Jésus-Christ dit qu'il y aura « peu
d'élus »; il admire que la voie soit étroite, et rares
ceux qui la trouvent. Les chrétiens lisent cela avec
indifférence; ils croient que cela fait partie de la
rhétorique de Jésus-Christ.

On voit dans les églises, aux messes d'onze heures, pliant le genou et généreux à la quête, une multitude de damnés. Leurs circonstances atténuantes sont du chef de l'Église même, qui les a laissés dans leur chimère, afin qu'ils fassent nombre sur ses listes. L'Église contemporaine n'a pas plus le droit d'invoquer, sans provoquer la dérision, l'exemple d'un saint Augustin ou la doctrine d'un saint Thomas, que l'humanisme mort de nos universités n'a le droit de se réclamer de la Grèce ou de Rome : l'antiquité et le moyen âge ont été les tabernacles d'un spiritualisme qu'aucune religion ni aucune philosophie n'ont su continuer ni transformer.

L'Église du Christ a duré mille et quelques années. Je crois (me trompant peut-être) qu'elle ne subsiste que dans les monastères. J'ai rêvé de vous jeter dans un retranchement complet du dehors, en un lieu où les choses de la terre roulent sous vos pieds, comme celles du ciel roulent sur nos têtes. Quand rien de la construction catholique ne serait vrai, vous m'auriez donné là une grande idée de vous-même, et ce n'était pas rien. Perdue pour perdue, il valait mieux vous perdre dans une recherche haute et singulière, que dans le sordide où vous êtes. Mais il n'apparaît pas que vous ayez suivi le conseil que je vous donnais, d'aller voir un ecclésiastique, pour qu'il approfondisse ce que vous contenez. Je n'insisterai donc pas. Je ne puis m'éterniser sur vous. Les vivants, qui ne font que passer, ne peuvent m'intéresser qu'en passant. Et d'ailleurs, si vous vous détournez vous-même de cette voie, tant mieux; c'est signe que Dieu ne vous l'a pas destinée. Il peut y avoir de faux mouvements de vie dans une âme morte, quelques-uns savent cela, — par expérience. En ce qui vous regarde, j'ai pu m'y tromper.

Vous me dites que vous souffrez. Cela vous tiendrait lieu d'oraison, si vous n'en aviez pas d'autre. La souffrance est l'oraison de ceux qui ne pensent ni ne prient. J'ignore de quelle nature sont vos tentations, mais je crois que c'est une grande grâce de Dieu, d'être tenté; si vous ne l'intéressiez pas, il vous laisserait en païx. C'est peut-être cette tentation qui vous sauvera, dans l'état menacé où je vous ai vue. Supposé que la tentation ne soit pas présence de Dieu, mais son absence, il n'est sans doute aucun saint même, dans l'âme de qui Dieu n'apparaisse, et dont il ne disparaisse, sur un rythme rapide; l'âme est comme un ciel ensoleillé, mais que parcourent de petits nuages qui le voilent de moment en moment.

Moi aussi j'ai mes tentations à votre endroit, et je suis partagé entre elles. Tantôt celle de vous aiguiller vers Dieu, comme un chien qu'on prend par le collier : « Imbécile, c'est par là-bas que la bête est levée. » Et tantôt de vous rejeter à votre néant, que vous sentirez enfin, le jour que je n'y serai plus.

Croyez, Mademoiselle, à mes sentiments dévoués.

Costals.

Je vous rappelle que je n'ai pas la foi. Si je cherchais Dieu, je me trouverais.

Je rouvre ma lettre pour ajouter ceci. Je ne vous cacherai pas que la nuit dernière, en écrivant ce qui précède, j'avais dessein de vous abandonner. Vous m'aviez déçu. Mais il reste l'autre sens. J'aurai pitié de vous, samedi, à six heures du soir; et si je précise cette heure, c'est que je serai alors avec quelqu'un de qui je tirerai cette puissance de pitié. Mais prenez garde, j'aurai pitié de vous d'une certaine façon, et dans une direction particulière. Et vous n'avez pas idée des mystères de la pitié. Moi, je connais tout cela.

ANDRÉE HACQUEBAUT
Saint-Léonard

à

PIERRE COSTALS
Paris.

1er *juin 1927.*

« Encore une lettre-fleuve! Cette fille est folle. Dieu! que cette fille est folle! Et comme l'Ecclésiaste (ou Salomon) a raison de parler du malheur d'être tombé dans les rêves d'une femme ardente! » N'est-ce pas que vous pensez cela? Eh bien non, par extraordinaire, je ne viens pas vous ennuyer ce matin. Je vais un peu mieux.

Pourquoi vais-je mieux? J'ai l'impression que dans mes dernières lettres, j'ai pas mal divagué, et qu'aujourd'hui je vois la situation avec plus de clairvoyance, telle qu'elle est réellement. D'abord parce que je suis allée chez le coiffeur il y a deux jours, ce qui veut dire que je suis bien coiffée (il faut au moins ce délai!) et que, me regardant dans la glace, avec l'idée que ces horribles journées devaient m'avoir vieillie de dix ans, je retrouve mon visage à peu près le même (bien plus, c'est inouï tout ce qu'on me dit depuis mon retour de Paris sur ma jeunesse, mon chic, etc.). Ensuite, parce que le temps s'est couvert, ce n'est plus cette ivresse de l'été qui insultait à ma souffrance, le temps d'aujourd'hui est un temps d'automne, et l'automne prochain, pour moi, ce sera *autre chose;* j'aurai d'autres vêtements que ceux avec lesquels j'ai tant souffert... une sorte de superstition... L'espérance, de nouveau, hisse la voile. Auriez-vous jamais pensé qu'un temps gris et maussade pût devenir une promesse de bonheur?

Espérance... promesse... Toujours ce pacte d'espoir refait avec moi-même. Toujours l'attente. Il y a quatre ans que j'attends de vous quelque chose. Je vous ai donné tout, et je n'ai rien eu en échange. Vous ne m'avez pas embrassée une fois en quatre ans! Si j'étais morte, est-ce que vous me donneriez enfin un baiser? Pourquoi, pourquoi, puisque cela vous coûterait si peu de me laisser au moins un souvenir, que j'aurai passionnément désiré, vous qui en avez des centaines, de ces souvenirs-là, moi qui n'en aurai pas un seul autre dans toute ma vie aride? Pour un baiser spontané de vous j'aurais donné, *sans une hésitation*, dix ans de votre amitié.

Il y a en vous une anomalie : vous aimez et vous ne donnez rien. Quand on aime, on donne; c'est le mouvement naturel. Vous, « surtout, ne rien donner » : ça a l'air d'être votre mot d'ordre. La chose est à ce point anormale, que je serais tentée de croire que vous ne m'aimez pas. Mais il est sûr que vous m'aimez; il faudrait que je sois bien aveugle pour ne pas m'en être aperçue : les femmes ont dans ces choses un instinct qui ne trompe pas.

Vous me dites que vous ne m'aimez pas. Vous cherchez énergiquement à vous le persuader. Si je savais que vous ne m'aimiez pas, si j'avais la certitude que me prendre serait pour vous une corvée, alors, trop fière pour mendier jamais l'amour de personne, j'abandonnerais de moi-même. Mais voilà, j'ai la certitude du contraire. Je sais que, sans avoir pour moi une passion dévorante, quand même vous m'aimez. J'aurais donc rêvé, quand je lisais la tendresse dans vos yeux? J'aurais rêvé que l'idée de notre mariage vous avait traversé la tête, quand nous visitions l'appartement de la rue Quentin-

Bauchart? J'aurais rêvé que, le 16 mai de l'an dernier, vous m'avez longuement tenu la main? que, le jour du square des États-Unis, vous avez marché en me tenant le bras et en vous pressant contre moi? que, ce même jour, vous vous êtes plaint et livré à moi, avec confiance (à propos de votre regret de n'être pas père)? J'aurais rêvé que, certaine fois où vous étiez en retard à notre rendez-vous, et où je vous demandais pourquoi, vous m'avez répondu : «Demandez-moi plutôt pourquoi je suis venu! » Savez-vous ce qui m'a fait prendre conscience de votre affection? En mai 26, dans le taxi, nos jambes se sont frôlées. Et à l'instant, avec brusquerie, vous avez écarté la vôtre. J'ai compris alors que c'était avec votre âme que vous m'aimiez. «La femme dont on ne jouit pas est la femme qu'on aime. » (Baudelaire.)

Si vous êtes si sûr de ne pas m'aimer, un baiser que vous me donneriez serait pour vous comme si vous embrassiez une pierre. Pourquoi, alors, vous défendez-vous si fort? Pourquoi ne me recevez-vous plus chez vous? Pourquoi ne m'emmenez-vous pas quelque part où nous dansions, où nous buvions du champagne? Alors, on verrait bien. C'est vraiment trop sot d'affirmer que vous ne me désirez pas, quand vous faites tout pour exorciser ce désir.

Depuis quatre ans, près de vous, je me sens enveloppée de votre timidité. Vous voudriez faire un geste vers moi, et vous n'osez pas. Auprès des femmes que vous n'aimez pas avec votre âme, vous savez oser. Auprès de moi, vous perdez la tête. Peut-être aussi me croyez-vous frigide! Ç'a été délicieux pendant un certain temps, mais cela se prolonge trop. Il est absurde que je vous fasse peur.

Si je devais vous prendre au mot, si — aussi invraisemblable que cela me paraisse — vous ne vouliez pas de mon amour, il n'existerait qu'un seul moyen de rupture, ce serait de me convaincre que vous ne m'aimez pas. Mais, ce moyen, vous ne pourriez l'employer, puisque vous m'aimez. Vous voyez dans quel maquis inextricable vous vous êtes fourré! Inextricable pour vous, car un enfant de deux ans en sortirait. Vous me faites sourire, tenez. Comme quoi un être de génie peut être en même temps idiot. Rien n'égale la cocasserie de votre attitude en face de moi, toujours sur la défensive... On dirait un canard devant un téléférique. Pauvre, pauvre enfant!

Allons, mon ami, laissez-vous enfin aller. Vous vous retenez, et vous souffrez de vous retenir. Est-ce sage? Laisser éteindre la lumière que j'ai allumée en vous? Retourner à votre solitude, à votre stérilité, à votre manque d'amour? Quand le salut est là, tout proche, avec ses deux bras nus, et son frais visage, et toutes les profondes choses inviolées. Plus jamais vous n'en trouverez une pareille à moi. Plus jamais Dieu ne vous tendra la main.

A vous

Andrée.

P.-S. — Mon amie Raymonde sort d'ici. Je l'ai toujours tenue au courant — en gros — de notre liaison. Elle m'a demandé où ça en était. Quand je lui ai dit qu'il n'y avait rien de plus, elle s'est écriée : « Tu n'as pas encore compris qu'il se fiche royalement de toi? » Je lui ai expliqué comment votre réserve était la preuve de votre amour; elle m'a ri au nez. J'ai honte d'être femme, quand je vois des femmes d'une telle grossièreté. Cependant, je voudrais que vous m'autorisiez à lui écrire — dans un laps de temps convenable — qu'enfin vous me rendez heureuse. Je serais ainsi plus à mon aise pour lui parler quand elle reviendra. Oui, autorisez-moi à dire, non seulement à Raymonde, mais à une ou deux autres amies *sûres :* « Costals est mon amant. » Vous me donneriez l'ombre de ce bonheur dont vous me refusez la réalité. Et puis, vous me devez bien ça.

(Cette lettre est restée sans réponse.)

THÉRÈSE PANTEVIN
La Vallée Maurienne

à

PIERRE COSTALS
Paris.

Dimanche.

Hier samedi, à l'heure où vous aviez pitié de moi,
six heures, j'ai été prise d'un très fort battement de
cœur. L'angélus a sonné, et j'ai su alors, par une
inspiration de vous, que ceux qui le sonnaient étaient
parmi les « faux innocents », que c'étaient les Gentils
qui se préparaient à faire semblant demain de célé-
brer la Fête-Dieu par une pompe mensongère, et
j'ai eu horreur de ce bruit de cloche. J'ai été prise
de violents tressaillements — mon corps frémissait
comme la croupe d'un cheval — et de grands mouvements d'entrailles. Alors j'ai fait le grand cri du
berger, on a dû l'entendre jusque chez Noison. Je
me suis mise à gémir, et me suis étendue prosternée
sur le carreau, les bras en croix; je sentais que je ne
pourrais être bien que là. Je branlais la tête à droite
et à gauche, comme étourdie et enivrée par mon
état. Cependant, aussitôt que je m'étais prosternée,
le petit enfant Marcel (c'est le fils de ma sœur, il a
deux ans) s'était mis à pleurer si fort qu'on ne pouvait l'apaiser, en sorte que je me suis assise à terre
pour le caresser. Puis je me suis couchée à la renverse
sur le carreau, ce qui a encore fait pleurer le petit;
je l'ai pris sur moi, où il est demeuré tranquille.

Cependant je gémissais, j'avais des mouvements d'entrailles, je disais beaucoup de paroles, sur l'esprit de Babylone, vous, notre mariage, « Sigara, qui est la figure de la soif », Lucifer « créé comme une fête ». Je serrais le petit Marcel sur mon sein, sur mon visage, entre mes jambes, je le baisais tout plein, il barbotait en moi, il était notre fils, j'étais saoule d'enfant. Maman a demandé s'il fallait chercher le curé, le Barbiat a dit non. Maman a alors pris le livre de messe et a lu les prières de la messe, le *Te Deum* et le *Magnificat*. A un moment, le Barbiat m'a retiré le petit Marcel. Alors je me suis frappée à coups de poings précipités et très forts sur les deux seins à la fois, et cela m'a un peu soulagée. Je parlais toujours, mais je ne me souviens plus de rien de ce que je disais. Je me suis cachée dans un coin. Je me suis promenée sur les genoux. J'ai battu des mains. J'ai dit au Barbiat de souffler sur moi, ce qu'il a fait, et ensuite la même chose à Maman. Tout ce temps je pleurais à bas bruit, je gémissais : « Ah! je me meurs! » je devais être affreuse (c'est dommage que vous ne puissiez voir comme je suis laide). Enfin quand j'ai trop souffert, j'ai dit au Barbiat de me donner des coups avec des bûches sur les seins. Il l'a fait, bien fort, et j'ai été délivrée.

Mon aimé, je n'en dis pas plus. Prévenez-moi quand vous aurez encore une grande pitié pour moi. Oh! j'y aspire! Mais pas avant quelques jours, cela me brise trop.

Marie.

ŒUVRES DE HENRY DE MONTHERLANT

LA JEUNESSE D'ALBAN DE BRICOULE

I. LES BESTIAIRES, roman, 1926.
II. LES GARÇONS, roman, 1969.
III. LE SONGE, roman, 1922.

LES VOYAGEURS TRAQUÉS

AUX FONTAINES DU DÉSIR, 1927.
LA PETITE INFANTE DE CASTILLE, 1929.
UN VOYAGEUR SOLITAIRE EST UN DIABLE (1925-1929), 1961.

LES JEUNES FILLES

I. LES JEUNES FILLES, roman, 1936.
II. PITIÉ POUR LES FEMMES, roman, 1936.
III. LE DÉMON DU BIEN, roman, 1937.
IV. LES LÉPREUSES, roman, 1939.

LA RELÈVE DU MATIN, 1920.
LES OLYMPIQUES, 1924.
MORS ET VITA, 1932.
ENCORE UN INSTANT DE BONHEUR, poèmes, 1934.
LES CÉLIBATAIRES, roman, 1934.
SERVICE INUTILE, 1935.
L'ÉQUINOXE DE SEPTEMBRE, 1938.
LE SOLSTICE DE JUIN, 1941.
TEXTES SOUS UNE OCCUPATION (1940-1944), 1953.
CARNETS (1930-1944), 1957.
LE CHAOS ET LA NUIT, roman, 1963.
VA JOUER AVEC CETTE POUSSIÈRE (CARNETS 1958-1964), 1966.
LA ROSE DE SABLE, roman (1932), 1968.

LE TREIZIÈME CÉSAR, 1970.
UN ASSASSIN EST MON MAÎTRE, roman, 1971.
LA TRAGÉDIE SANS MASQUE (Notes de théâtre), 1972.
LA MARÉE DU SOIR (Carnets 1968-1971), 1972.

Théâtre

L'EXIL (1914), 1929.
LA REINE MORTE, 1942.
FILS DE PERSONNE. — UN INCOMPRIS, 1943.
MALATESTA, 1946.
LE MAÎTRE DE SANTIAGO, 1947.
DEMAIN IL FERA JOUR. — PASIPHAÉ (1936), 1949.
CELLES QU'ON PREND DANS SES BRAS, 1950.
PORT-ROYAL, 1954.
BROCÉLIANDE, 1956.
LA MORT QUI FAIT LE TROTTOIR (Don Juan), 1958.
LE CARDINAL D'ESPAGNE, 1960.
LA GUERRE CIVILE, 1965.
LA VILLE DONT LE PRINCE EST UN ENFANT (1951), texte de
    1967.

THÉÂTRE CHOISI. *Classiques illustrés Vaubourdolle*. Hachette,
    1953.
THÉÂTRE. *Bibliothèque de la Pléiade*, 1954.
ROMANS ET ŒUVRES DE FICTION NON THÉÂTRALES. *Bibliothèque
    de la Pléiade*, 1959.
ESSAIS. *Bibliothèque de la Pléiade*, 1963.

Cet ouvrage
a été achevé d'imprimer
sur les presses de l'Imprimerie Floch
à Mayenne le 29 juin 1972.
Dépôt légal : 2e trimestre 1972.
No d'édition : 16787.
Imprimé en France.
(10652)

FUNDERBURG LIBRARY
MANCHESTER COLLEGE